심해의 정원

심해의 정원

이아영

송선경

원주연

정안(正安)

박다라

우윤서

누구나 마음 한 편 깊은 심해에 기억을 숨겨두곤 한다. 심해는 햇빛이 거의 닿지 않아 칠흑같이 어둡고, 워낙 넓고 방대해서 뭘 숨겨두기에는 제격이다. 하지만 마찬가지로 너무 어둡고 넓어 내가 뭘 숨겨 두었는지 그대로 잊어버리는 일도 빈번하다. 잘 들여다보지도 않는 탓에 마음속 깊은 심해에 어떤 상황이 벌어지고 있는지 마음의 주인도 알 길이 없다.

우리는 심해 속 숨겨둔 기억을 꺼내 보려고 한 자리에 모였다. 그 기억 속에는 사랑의 아픔과, 마음속 불안감, 혼란스러운 그때의 상황들, 어리숙했던 내 자신, 잘못된 사랑 방식이 고스란히 담겨 있었다. 숨겨두는 건 쉽지만 꺼내 보는 것은 더욱 큰 용기가 필요하다. 여기 우리가 그랬던 것처럼.

햇빛 한 가닥 들어오지 않는 곳이지만, 우리들이 탐험했던 심해 깊은 곳 안쪽에서는 꽃이 피고 있었다. 역설적이게도 어여쁜 꽃들이 모여 어느새 오색찬란한 정원을 이루고 있었다. 심해의 정원이었다.

마침내 불안과 현실을 타협했을 때 노란 민들레 꽃 한 송이가 예쁘게 피어올랐다.

불안하면 뭐 어떤가요?

어지럽던 마음의 방향성을 확신했을 때 붉은 튤립 한 송이가 피었다.

이 비행기에서 내리면

사랑의 아픔 속에서 내 자신의 가치를 깨닫고 나자, 하늘과 닮은 수국 한 송이가 피었다.

어쩌면 자존감이 전부일 수도

잘못된 사랑 표현 방식을 깨닫고 눈물로 참회하니 물망초 한 송이가 피었다.

사설탐정 선록

어른이 되고 비로소 난독증을 깨달았을 때 가시가 잔뜩 박힌 장미 한 송이가 피었다.

나는 몸치 음치가 아닌 '문치'

혼란스러움을 이겨내고 건강한 나의 정체성을 되찾았을 때 수선화가 아름답게 피었다.

행복의 재초점

우리들이 꺼내온 심해의 이야기가 모든 이의 심해에 아름다운 정원을 꽃 피우길 바라며…

- 공동저자 中 이아영

사설탐정 선록

〈새벽에 일어난 비극〉

이아영

이아영　나는 겨울의 딸이자, 여름의 아내이고, 봄의 엄마입니다.
한때 내 계절의 전부는 겨울이었고, 어른이 되곤 여름을 만나 태양처럼 뜨겁게 사랑했습니다. 그리고 따사롭게 꽃이 피던 어느 봄날에, 새 봄을 만났습니다. 봄은 여태 내가 사랑했던 모든 계절들과 달랐습니다. 그저 어여쁘고 사랑스러웠습니다. 나의 계절이 뭐였는지 잊어버릴 만큼요.
나는 가을입니다. 가을의 짙은 색이 어느새 잔뜩 옅어져 나의 계절을 되찾고자 펜을 들었습니다. 이제 가을도 제법 사랑해 보려고요. 가을은 때로는 쓸쓸하고 외로운 이야기를, 또 어떤 날은 포근하고 사랑스러운 이야기를 그립니다.

블로그 : azerolee.tistory.com

2023년 01월 10일

새해를 맞이해 우리 가족은 시댁으로 내려왔다. 남편 본인은 출근해야 하고, 아기는 이제 막 50일이 채 안 돼서 내가 걱정된다며 시댁의 도움을 받자고 했다. 부담스러워서 거절할까 하다가, 일주일간 독박 육아 지옥을 경험하고 바로 짐을 쌌다. 이럴 때 친정엄마라도 있으면 좋으련만. 먼저 떠난 엄마의 빈자리가 크게 느껴진다.

오자마자 진수성찬으로 준비해 주신 시어머니의 따뜻한 손길이 감사하기도, 부담스럽기도 하다. 내가 좋아하는 반찬 위주로, 산후조리에 좋다는 음식들 위주로 준비해 주셨다고 했다. 어머님께 살갑게 웃으며 감사하다고 해야 했는데, 너무 소심하게 감사를 표시했나 싶어 뒤늦은 후회가 밀려온다. 오늘 밤에는 어머님이 아기를 봐주신다고 했다. 아기 낳고 처음 써보는 일기 때문인지, 오랜만에 잠을 푹 잘 수 있어서 설레는 건지 모르겠다. 아마 둘 다겠지.

2023년 01월 12일

시댁으로 내려와 지낸 지도 벌써 사흘 차. 아기가 200일이 될 때까지

도움을 청하려고 했는데, 100일 지나고 나서는 집으로 돌아가야 되겠다고 느꼈다. 우선 그리 크지도 작지도 않은 이 집의 아기를 포함해서 5인이 함께 지낸다. 나, 남편, 아기, 시어머니, 아가씨까지. 아직 평일이라 그나마 지낼 만 하지만 주말이면 어떨지… 시어머니랑은 아직도 어색한 관계를 유지하고 있다. 사실 의도한 건 아닌데, 워낙 숫기가 없고 말주변이 없어 집의 단 둘이 있을 때면 아기 얘기 말고는 할 게 없다. 친해질 수 있을까? 이 집이 편안하지는 않다. 남편이 퇴근하고 나서 잠깐은 안방에서 아기 없이 남편과 도란도란 이야기를 나눈다. 남편은 점심 약을 거르지 말라고 했다. 약을 먹으면 확실히 우울감이 사라진다. 가족들도 나를 보며 더 방긋 웃는 느낌이 들어 기분도 좋다. 눈물도 거의 안 흘리는 것 같다. 좋아지고 있는 걸까?

2023년 01월 20일

오랜만에 쓰는 일기다. 그동안 아기가 새벽마다 두 시간 간격으로 깨서 시어머니와 번갈아 자며 돌보느라 일기 쓸 여유가 없었다. 이제 제법 4시간은 자줘서 잠자리에 들기 전 오랜만에 펜을 들었다. 오늘은 기분 탓인지 모르겠는데, 어머님이 나를 바라보는 눈초리가 곱지 않았다. 내 행동이 마음에 안 드시는 것일까? 아무래도 말을 잘 안 섞어서 더 그럴지도 모르겠다. 그래도 내가 먹어야 할 약은 제시간에 꼬박꼬박 챙겨 주신다. 감사하지만, 여전히 어렵다. 내일은 남편에게 아기가 100일이 되면 다시 집으로 돌아가자고 말해봐야겠다.

2023년 02월 03일

나는 기억력이 좋다. 언제나 그래왔다. 그래서 아침의 내 방 화장대의 물건 배치와 저녁 시간대의 차이 정도는 쉽게 알아차릴 수 있다. 엊그제부터 화장품의 위치가 조금씩 달라지고 있다. 육아하느라 대부분의 시간 동안 집에 있긴 하지만, 엊그제부터 어머님이 아기 잘 때 바람 좀 쐬라고 내보낸 것이 화근이었다. 잠깐 산책하러 나간 동안 내 물건에 손을 대신 걸까? 방을 치우시더라도 나한테 말 한마디 먼저 해 주셨으면 좋았을 텐데. 이런 식의 친절은 조금 부담스럽다. 어떻게 말씀을 드려야 할지 고민하던 찰나에 오늘 늦게 퇴근한 남편에게 말했다. 남편은 어머님이 우리 방에는 절대 안 들어오신다며 내 약을 챙겨 주실 때만 들어오셨다고 한다. 역시 예상했던 대로 남편과도 대화가 안 된다. 자기 가족 얘기에 방어적인 태도가 나오는 게 어쩌면 당연한 거니까. 남편에게 빨리 이 집을 나가고 싶다고 말해야 하는데. 입이 잘 안 떨어진다. 오해가 있었던 걸까? 아무튼 어렵다.

2023년 02월 25일.docs

집에 돌아가고 싶은 마음이 굴뚝 같다.

내가 꾸린 가족이다. 내 책임이 있는 것은 맞지만, 더 이상 이들과 못 산다.

오늘 쓰려는 일기는 어머님 얘기가 아니라 아가씨가 그 주인공이다.

남편이 연애 때 주던 별 모양 목걸이를 오늘 아침 식사 자리에서 아가씨가 하고, 있었다.

그 자리에서 화가 치밀어 올랐지만, 식사 분위기를 망치고 싶지 않아 참았다. 왜 자꾸 내 물건에 손을 대려고 하는 것일까? 훔치지 않아도, 손

대지 않아도 나한테 물어보면 선뜻 내어줄 것이었다. 화가 난다. 남편도 분명 그 목걸이를 봤을 텐데. 여동생에게 똑같은 목걸이를 선물했을 리는 없다.

아가씨는 처음부터 나를 고운 시선으로 보지 않았다.

이 집에 들어온 순간부터 지금까지, 계속 경계하듯 쳐다볼 뿐이다. 나는 아가씨와 대화조차 섞고 싶지 않아 그녀가 퇴근할 때면 아기와 함께 방으로 들어와 버린다. 숨이 막힌다. 어서 집으로 가고 싶다.

2023년 02월 28일.docs

화를 참을 수가 없다. 이곳으로 올 때 들고 온 짐이 그리 많지도 않았는데, 오늘도 아가씨는 내 것으로 추정되는 검은색 목티를 착용하고 있었다. 내가 호구로 보이는 것이 틀림없다. 아가씨에게 목티가 어디서 났냐고 물어보니, 세상 뻔뻔하게 최근에 매장에서 샀다며, 하나 사드릴까 물어온다. 기가 차서 대꾸도 하지 않았다. 어떻게 저 목티가 내 것이라고 확신할 수 있냐고? 그 몇 안 되는 짐 속에서 정확히 그 목티가 사라졌기 때문이다. 퇴근한 남편에게 그동안 쌓아두던 말들을 쏟아냈다.

아가씨가, 내 별 목걸이와 목티를 훔쳐 갔다고.

시어머니가 아직도 우리 방에 들어와 내 화장대를 건드린다고.

그의 대답은 한결같다. 내가 조금 예민해서 그렇다고, 약 잘 챙겨 먹으라고 한다. 먼저 떠난 엄마가 오늘따라 더 그립다. 남편과의 대화도 이젠 즐겁지 않다. 아니, 정확히 말하면 대화하기도 싫다. 당장 아기 안고 이곳을 도망쳐 집으로 돌아가고 싶지만, 아직 그럴 용기가 나지 않는다.

아기도 지웠다면 더 좋았을걸.

대신에 남편에게 정확한 증거를 보여주고 당당히 이 집을 탈출하고자 아기를 핑계로 우리 방에 홈 카메라를 설치했다. 그리고 화장대에 반지를 빼두었다. 이제 미끼를 물기만 하면 된다.

2023년 03월 01일.docs

역시나! 화장대에 올려둔 반지가 사라졌다. 너무나도 당연한 결과이기에 오히려 초연하다. 아가씨가 반짝이는 걸 참을 리 없지.

범인은 카메라를 돌려보지 않아도 안다. 내일 아침에 녹화해 둔 영상을 확인해야지.

남편이 CCTV 영상을 보면 그제야 믿을까.

2023년 03월 02일.docs

꺼져있었다. 카메라가 꺼져있었다. 그년이 분명 안방으로 들어와 꺼둔 거겠지.

진짜 죽여버리려고.

2023년 03월 03일.docs

아침부터 망할 년이 비웃으며 인사했다. 검은색 목티와 별 목걸이 그리고 반지를 착용하고 아무것도 모르겠다는 듯이 순진무구하게 웃어댄다. 치욕스럽다. 온통 나의 것을 두르고 있다. 옆에 칼이 있었다면 연신 찔러댔을 거다. 그년의 엄마, 즉 나의 시어머니가 되는 년은 나를 걱정 어린 눈으로 쳐다본다. 가증스럽다. 분명 뒤에서는 웃고 있을 게 틀림없다.

2023년 03월 05일.docs

오늘 점심에는 망할 년이 요즘 내가 힘들어 보인다며 본인이 휴가를 썼으니 나보고 어디 나갔다 오라고 한다. 본인이 시애미와 함께 애를 보겠다고. 괜찮다고 집에 있겠다고 하니 낮잠이라도 푹 자고 오라는데, 어이가 없어 혀가 찼다. 죽여버리고 싶다. 아이 데리고 이 집을 빨리 나가거나, 내가 이들을 죽이거나. 이제 둘 중의 하나다.

*

"지난 7일 새벽에 갓 100일 난 아기를 두고 시어머니와 며느리가 실랑이를 벌이다 며느리인 30대 여성 A 씨가 숨져 경찰이 수사에 나섰습니다. 경찰 관계자는 A 씨가 거실 테이블 모서리에 부딪혀 숨진 것으로 추정하고 있습니다. 평소 A 씨는 우울증 약을 복용…"

조용한 거실 한가운데에서 아나운서의 목소리가 울려 퍼졌다. 오전 6시. 선록이 매일 기상하는 시간이자, 하루의 시작을 뉴스와 함께하는 시간이다. 선록은 냉장고에서 차가운 우유를 꺼내 들고, 그릇과 숟가락을 챙겨 소파에 앉았다. 거실 테이블 위에는 언제나 시리얼이 올려져 있었는데, 선록의 루틴 같은 것이다. 형사 시절 아침을 챙겨 먹었던 습관이 3년째 지속되고 있다. 당이 많이 들어간 시리얼은 아침에 먹으면 속이 쓰렸기 때문에 항상 곡물로 준비했다. 거실에는 앙칼진 아나운서의 목소리와 선록의 입안에 맴돌고 있는 시리얼 씹는 소리, 그리고 휴대전화 진동 소리로 매워졌다.

"여보세요?"

선록은 먹던 것을 삼키고 목이 잠긴 채로 전화를 받았다. 핸드폰 화면을 보지 않아도 이른 아침에 전화 올 사람은 그 녀석밖에 없다. 선록의 3년 전 파트너이자, 가장 친한 친구 전완석 형사.

"방형사! 지금 뉴스 보고 있지? 그 사건 지금 내가 맡고 있는 사건인데, 이번에도 역시 도움이 필요해."

완석은 선록이 무려 3년 전에 퇴직했어도 여전히 '형사'라고 부르는 유일한 사람이었다. 선록이 아무리 말해도 소용없었다. 완석은 항상 완고했다. 자신의 파트너는 언제까지나 선록이 유일하다고 버릇처럼 말해댔다. 그 탓에 듣기 싫은 호칭이라도 더는 반대하지 않았다. 선록은 완석을 꺾을 수 없었다. 퇴직하고 지금까지 탐정 일을 도맡아 하게 된 것도 결국에는 완석의 제안 때문이었다. 정확하게는 제안이 아니고, 강제 사건 떠밀기였지만. 지금도 같은 상황이리라.

"무슨 도움?" 선록은 숟가락을 만지작거리며 말했다.

"방형사가 봐도 저 사건, 단순 사고야?"

선록은 뉴스 화면을 응시했다. 흥미로운 사건임은 틀림없었다.

"단순 사고가 아니라면… 살인 사건이라는 건가?"

선록은 말을 뱉자마자 눈을 질끈 감으며 후회가 밀려왔다. 완석이 요청한 공조 수사에 또다시 물렸기 때문이다. 흥미를 보이지 말았어야 했는데, 완석은 이를 절대 놓칠 리 없다.

"모든 증거가 사고라고 말하고 있어. 피해자는 우울증 환자에다가 조현병까지 있어. 정신과 의사의 소견이 그래. 현장에서 피해자의 일기가 발견됐는데, 내가 봐도 이상해. 영, 정신에 문제가 있는 사람이야. 게다가 피해자 쪽 가족은 남편과 시댁이 유일한데, 유가족들이 부검을 원치 않아. 비극적인 죽음인데 죽은 뒤에도 시신을 훼손시키고 싶지 않다는 게 나름의 이유야. 목격자까지 확실한 사건이라 누가 봐도 완벽한 사고사야."

선록은 차분히 완석의 목소리에 집중했다. 완석이 이렇게 흥분한 목소리는 오랜만이었다. 그의 목소리에는 답답함과 짜증스러움이 공존했다. 선록은 광고 소리로 요란하게 울려대는 티브이를 끄고 안방으로 자리를 옮겼다. 선록은 묵묵히 출근 준비를 시작했다.

"곧 갈 테니까 사건 파일 준비해 놓아."

*

퇴직한 이후에도 이렇게 자주 경찰서를 드나들 것이라고는 선록은 생각도 못 했다. 2주 만의 재방문이었다. 완석은 노란 파일 집을 들고 문 앞에서 선록을 반갑게 맞이했다. 완석 옆에는 그의 새로운 파트너 김도연 형사가 멀뚱히 서 있었는데, 완석의 키가 절대 작은 키가 아님에도 김형사 옆에서는 난쟁이로 보였다.

"방탐정님 오셨어요? 이번 사건은 틀림없이 사고사인데 괜히 또 귀찮게 불러들인 게 아닌가 죄송스러워네요. 암만 파트너여도 완고한 전 완석 형사를 누가 말리겠습니까. 괜히 완고 형사라고 별명이 붙은 게 아니라니까요?"

선록은 김형사에게 가볍게 눈인사하고 바로 사건 집을 집어 들었다. 현장에서 발견된 피해자의 일기부터 천천히 읽어 내려갔다. 완석은 으레 그래왔다는 듯, 사건 집만 바라보는 선록을 데리고 회의실로 이동했다. 이동하는 내내 선록과 두 형사는 침묵했다. 선록은 본인이 이동하고 있는 사실도 몰랐으리라.

"확실히 이상해."

회의실 안에서도 무려 30분간 긴 침묵을 이어 나간 탓에 김형사는 지루함을 참지 못하고 나가버렸고, 완석만이 선록의 옆자리를 지켰다. 오랜 침묵 끝에 선록이 뱉은 말은 이상하다는 것이었다. 완석은 사막의 오아시스를 발견하듯 눈을 동그랗게 뜨고 흥분된 목소리로 '거봐, 내가 뭐랬어!'라고 말했다. 완석은 분명 사건이 이상하리만큼 요상하다고 생각했고, 김형사는 그의 의견에 동의하지 않았다. 완석이 더욱더 답답함을 느꼈던 이유는 사건이 왜 이상한지 설명하지 못했기 때문이다. 김형사에게 그저 감이 안 좋다고만 말했을 뿐, 논리적으로 설명하지는 못했다. 완석은 선록에게 논리적인 이유를 듣고 싶었다. 선록이 자신의 가려운 부분을 충분히 긁어주길 바랐다.

"피해자는 왜 일기를 일기장에 쓰다가, 컴퓨터로 쓰기 시작했을까? 갑자기 죽여버리고 싶다고 서술하는 부분도 이상해. 피해자의 탈출구는 원래 집으로 돌아가는 것이었는데 마지막 문장에서는 '이들을 죽이거나'로 택일 구조가 됐어. 모종의 사건이 있었던 거야. 일기장에는 나와 있지 않은… 목격자들도 결국 어둠 속에서 사건을 목격한 건데, 시어머니가 밀지 않고 피해자 스스로 넘어져 모서리에 부딪혔다고 어떻게 확신하지? 그리고…"

완석은 가려운 부분에 파스를 붙인 것처럼 시원하다 못해 알싸해졌다. 목구멍까지 차오른 답답함이 한순간에 소화되는 느낌이었다. 선록이 대단한 추리를 한 것은 아니었다. 완석도 김형사에게 '피해자가 굳이 컴퓨터로 일기를 쓴 이유가 있을 거 아니야!'라고 날카롭게 추리했었다. '요즘은 디지털 시대니까요. 종이에 적어 둘 시간이 없었나 보죠.' 김형사의 말에 완석은 그럴듯한 이유를 설명하지 못했다. 그러니까 종이에 적어 둘 시간이 없었다는 것에 대한 반증을 뭐라고 말해야 할지 완석은 알 수 없었다. 느낌만으로 수사가 이루어지지는 않으니까. 그래서 선록이 필요했다. 그는 언제나 완석이 품은 의구심을 그럴듯한 이유로 설명해 나갔다. 더 나아가 선록은 완석이 어떤 부분에 의구심을 품고 있는지 말하지 않아도 알아차렸다. 완석에게 선록은 세계적인 탐정 셜록홈즈보다 대단한 탐정이었다.

"목격자들의 진술서가 마치 한 사람이 쓴 소설 같아. 남편, 아가씨, 시어머니 세 명이 쓴 각기 다른 글인데도 말이야."

김형사는 13층을 누르곤 엘리베이터 모서리로 거대한 몸을 구겨 넣었다. 기계음만 들리는 숨 막히는 어색함과 고요함을 참을 수 없었다. 양쪽 벽면에 몸을 기대야만 심적으로 안정이 됐고, 선록과 완석은 엘리베이터 정 가운데에 우뚝 서 있었다. 붉은 글씨로 13층이 다가오고 있었다. 선록과 완석의 비장함이 느껴진 탓에 그리 더운 날씨가 아님에도 불구하고 등 뒤 땀이 비처럼 흘러내렸다. 경쾌한 엘리베이터의 도착 음과 별개로 분위기는 여전히 싸늘하고 차가웠다. 김형사는 1303호로 어딘가 모르게 비장한 탐정과 그의 곁을 지키는 결의에 찬

형사를 안내했다.

"전형사님 오셨습니까? 방탐정님도 오셨네요. 이번에는 부르지 말자니까, 하여튼 완고하셔. 현장에 루미놀 반응은 피해자의 시체 근처에서만 반응했어요. 참, 피해자의 손바닥에 자국 같은 것이…"

감식반의 당병진 수사관이었다. 선록은 당수사관에게 가볍게 인사를 건넨 후, 바로 피해자가 사망한 위치로 이동했다. 등 뒤로는 완석과 병진이 사건에 관해 얘기하는 소리가 희미하게 들렸고, '현장에 특이점은 없다'는 것이 주된 내용이었다.

"이 테이프는 어디에 쓰이는 거죠? 거실 가구 모서리들에 다 붙어있네요."

선록은 어느새 옆으로 와 있는 김형사에게 물었다. 피해자가 부딪혀 사망한 거실 테이블 모서리에도 피로 얼룩진 채로 테이프가 붙어있었다. 일반 가정집에 붙어 있을 만한 테이프가 아니었다. 선록의 기억 속에 이런 테이프는 뮤지컬이나 연극에서 배우의 위치를 잡을 때, 소품의 위치를 잡을 때 응당 쓰이는 것이었다.

"아, 별 건 아니고요. 이 집에 갓 백일 난 아기가 있어서 새벽 수유할 때마다 피해자의 시어머니가 자주 모서리에 부딪히셨다고 해요. 그래서 안전을 위해 곳곳에 부착했다고 합니다."

선록은 피해자가 머물고 있던 안방과 아가씨가 머물던 작은방, 그리고 마지막으로 시어머니의 공간을 차례대로 탐색했다. 피해자가 머물던 방에는 CCTV가 문 바로 위에 달려 있었고, 문 바로 앞에는 책상과 컴퓨터, 그리고 책장이 있었다. 부부의 침대로 보이는 널찍한 침대는 책상 뒤에 놓여 있었고, 작은 창문에는 아침 햇살이 들어왔다. 방 끝 구석에는 드레스룸과 화장실이 연결되어 있었는데 옷가지가 많지는 않았다. 선록의 옆을 따라다니던 김형사는 CCTV가 사건 당일에 꺼져 있었고, 목격자들의 증언에 따르면 피해자가 카메라를 직접 껐다고 말했다. 피해자가 카메라를 끈 이유에 대해서는 가족들이 정확히 설명할 수는 없는데, 그냥 정신이 오락가락 한 사람이라 종종 그런 일이 발생하기도 한다고 했다. 선록이 현장에 오기 전 진술서에서 이미 확인한 내용이었다.

안방을 넘어 선록이 탐색한 공간은 작은방, 즉 아가씨가 머물던 공간이었다. 20대 여성이 머무는 공간인 만큼 방의 분위기는 화사했고, 책장에는 책이 잔뜩 꽂혀 있었다. '무대 연출 방법', '연극 연출론', '연출 이야기' 등 연출을 주제로 하는 책들이 유독 많이 꽂혀 있었고, 그 외의 책들은 '유전자'를 강조하는 제목의 책들이었다. 방 한쪽에는 2단 옷걸이가 놓여 있었는데, 피해자의 옷 가짓수와는 비교도 안 되게 많은 옷이 걸려 있었다. 김형사는 아가씨의 직업이 연극배우인 만큼 연극 관련 서적들이 많이 꽂혀 있는 것 같다고 말했다. 선록의 생각은 조금 달랐다. 방의 주인은 배우보다 연극 연출가가 조금 더 적합해 보였다.

마지막 방인 피해자의 시어머니 공간으로 이동한 선록이 제일 먼저 확인해 본 것은 가구의 모서리였다. 밤 중에 자주 부딪혀 거실에 테이프를 부착했다는 증언에 대한 검증을 해보기 위함이었다. 어둠 속에서 안전을 염두에 뒀다면, 거실 뿐만 아니라 이 방 모서리에도 부착되어 있어야 했기 때문이다. 하지만 깨끗했다. 그렇다면 어둠 속에서 불을 켜지 않고도 이 방 안에서 충분히 활동할 수 있는가를 검증할 차례였다. 그러나 이 방 안에는 무드등이나 간접 등 조차 보이지 않았다. 더불어 피해자의 방에 보이지 않았던 작은 침대가 눈에 띄었다. 아기 침대였다. 선록은 방을 나와 아까부터 머릿속을 복잡하게 헤집고 다니는 '테이프'가 붙어 있던 거실로 자리를 옮겼다. 그러곤 자세를 낮추고 피해자가 사망했던 곳을 다시 한번 꼼꼼히 살폈다.

"거실 바닥에 이 자국은 뭡니까?"

아까부터 선록의 옆을 따라다니던 김형사는 주춤하며 당 수사관과 대화를 나누고 있는 완석을 불러냈다. 완석과 수사관은 황급히 거실로 달려와 바닥을 살폈다. 바닥에는 끈적한 검은 얼룩이 묻어 있었고, 사체 근처에 있었다.

"분유 얼룩 자국이 아닐까요? 보통 새벽에 분유 타서 흘리면 바닥에 남기도 하더라고요."

김형사의 말에 수사관은 감식 도구를 꺼내 들었다. 완석은 다시 한번 현장 주변을 둘러보고, 선록은 침묵을 이어갔다. 조금 뒤, 완석은 큰 소리로 '여기도 있어!'라고 외치며 모두의 이목을 집중시켰고, 그 뒤에도 세 개의 얼룩이 더 나왔다. 사체 근처에 있던 얼룩까지 포함해 총 네 개가 현장에서 발견된 것이다. 첫 번째 얼룩을 감식하던 수사관은 완석을 불러냈고, 마침내 얼룩의 정체가 밝혀졌다.

"얼룩의 크기와 남아 있는 접착력 등을 미루어 봤을 때, 모서리에 붙어있던 축광 테이프를 떼어내고 남은 얼룩으로 보입니다. 희미하게 남아있는 테두리 자국 보이시죠? 꽤 오래 붙어 있었다는 증거입니다."

선록은 사건이 발생한 현장 쪽이 아닌, 부엌에서 발견된 얼룩 위에서 보았다. 완석도 그를 따라 얼룩이 발견된 또 다른 위치에 우뚝 섰다. 그의 앞에는 거실 장이 있었고, 마찬가지로 모서리에는 테이프가 붙어 있었다. 선록은 현장이 말하고 있는 단서를 따라 걷기 시작했다. 완석도 천천히 그의 뒤를 따랐고, 둘의 발걸음 끝에는 현장 보존선이 있었다. 피로 얼룩진 쓸쓸하고 잔혹한 무대였다.

"정신 질환을 앓고 있던 피해자는 새벽에 자신의 아이를 시어머니로부터 되찾기 위해 그녀의 방을 찾았고, 큰 소리로 오가는 말다툼 때문에 남편과 아가씨가 일어나 상황을 파악하려 했다. 아내를 달래기 위해 남편은 거실 밖으로 그녀를 끌고 나왔고, 화가 채 다 풀리지 않은 시어머니는 그녀를 따라나섰다. 남편의 손에 이끌려 가던 피해자의 팔을 잽싸게 가로챘고, 이 과정에서 피해자는 팔을 힘차게 뿌리치다가 그만 발을 헛디뎌 우연히 그 근처에 있던 거실 테이블 모서리에 부딪혀 사망했다."

현장에 있던 모든 경찰 관계자는 하던 일을 멈추고 선록의 낮고 묵직한 목소리에 집중했다. 공기는 차갑다 못해 서늘했고, 저릿한 피비린내가 떠돌아 코끝을 찔렀다.

"현장에서 발견된 피해자의 일기를 통해 가족들과 피해자 간의 사이를 유추해 볼 수 있었고, 목격자들의 증언이 일관되었기에 새벽에 일어난 비극 사건은 사고사에 무게를 두고 수사했다. 현장은 자연스럽게 사고사로 읽혔다."

설명할 수 없는 압도감에 모두가 숨죽였다. 위압감마저 들어 그 누구도 함부로 그의 말을 막아설 수도 없었다. 선록은 명확하고 날카롭게 말을 이어 나갔다.

"우리는 어느 아마추어 연출가의 연극에 놀아나고 있을 뿐입니다. 현장이 자연스럽게 읽힌다는 것. 누군가 준비한 무대의 관객이 되었다는 것이겠죠."

김형사는 다급히 핸드폰을 집어 들었다.

"용의자들 1:1 심문 요청하겠습니다."

*

"제가 밤에 자주 부딪혀 서요. 그래서 아들이 붙여 놨을 겁니다. 나이 먹으면 보이던 것도 안보이고 그래요."

완석은 유리창 너머로 피의자의 표정을 살폈다. 용의자로 지목된 첫 번째 피의자는 피해자의 시어머니. 그녀는 짧은 단발에 아치형 눈썹을 잔뜩 추켜세우며 형사를 노려보고 있었다. 진보라색 원피스를 입고 목과 귀에는 진주 장신구를 두르고 경찰서에 출석한 피의자는 60대의 나이로 전혀 보이지 않았다.

"바닥에 테이프요? 테이프가 붙어 있었다는 게 확실한가요? 내 기억엔 바닥에 테이프 같은 건 없었어요. 단순 얼룩이겠죠."

심문을 이어가던 형사의 미간이 찌푸려질 때쯤, 선록은 '남편에 대해 질문 해주세요'를 키보드에 입력했다.

"남편이 왜 실종되었는지 알면 제가 형사고 경찰이게요? 그러고 보니 실종된 지 20년은 더 됐네. 그놈은 둘째 딸아이 아빠였을 뿐, 나랑 사이는 안 좋았어."

"둘째 딸아이 아빠라 하시면…"

"우리 첫째 아들 애비가 되는 놈이 누군지 나는 몰라요. 그래서 그런가, 애가 아주 여려요. 눈물도 많고 정도 많고. 나는 그 점이 참 싫어. 아무래도 제 아빠를 닮은 거겠지."

"모르신다고요?"

여자는 미간을 잔뜩 찌푸렸다. 그러곤 유리창 넘어 선록과 완석에게 대답하듯 그곳을 똑바로 응시하며 조금은 떨리는 목소리로 담담하게 말을 이어 나갔다.

"어릴 때부터 부모 없이 자라면 어떤 줄 알아요? 함부로 대해도 되는 줄 알아. 막 만져도 되는 줄 알고, 범해도 되는 줄 알지. 어차피 신고도 못하거든. 보호해 줄 어른도 없고. 근데 못 먹고 자라서 없이 자란 애들은 마르고 힘도 없어. 반항도 못 한다는 얘기야. 이놈 저놈 다 하나같이 자기 것인 양 그랬지. 그래서 첫애 아빠가 누구인지 몰라요. 알았으면 내가 찾아가서 죽여버렸을 거야."

여자는 다리를 꼬고 턱을 괴며 미소를 보였다.

"더럽고 끔찍하거든. 그런 것들의 더러운 유전자가 우리 아들 몸에 있다는 게. 근데 사랑하는 아들을 죽일 순 없잖아요, 그렇죠? 엄마라는 게 그래. 내 자식은 내가 지켜야지."

"실종된 남편은요. 죽였어요?"

여자는 큰 소리로 웃기 시작했다. 날카롭고 앙칼진 목소리는 방 전체를 울렸고, 유리창 넘어 오디오에서도 그 소리가 전달돼 완석은 오디오를 살짝 줄였다. 기분 나쁘고 불쾌한 웃음소리였다.

"그놈도 똑같았어. 순종적인 애, 절대 도망가지 못하는 애 잡아다가 데리고 산 거야. 나 같은 애들은 어디 도망갈 데도 없다는 거 너무 잘 알거든. 매일 같이 때려도 눈물 한 방울 안 흘렸어. 매일 범해져도 똑같아. 어차피 내 일생이 그랬으니까. 우리 딸은 그래도 날 많이 닮았어요. 애가 더러운 게 뭔지 잘 알아. 일찍 싹을 잘라내서 그래요. 반대로 아들은 싹을 못 잘라내서 여리고. 지독하게 더러운 것들은 싹을 잘라야 해요. 그래야 사회와 가정이 깨끗해져. 남편 내가 죽였냐고? 글쎄 남편이 살았는지 죽었는지 아니면 내가 죽였는지, 그건 형사님이 찾아보셔야지, 안 그래요?"

여자는 당당하고 자신만만했다. 완석은 이따금 그와 눈을 마주치듯 말을 이어 나가는 여자가 거슬리다 못해 화가 날 지경이었다. 유리문을 가운데 두고 있어도 특수 거울 처리가 되어있어 여자는 완석이 안 보였을 터였다. 그럼에도 꾸준히 소름 끼치도록 그가 있는 곳을 응시했다. 그는 화가 난 목소리로 선록을 향해 물었다.

"방형사 저 여자가 남편이고 며느리고 전부 죽인 거 맞지? 조롱하는 저 말투가 유독 기분이 나쁘네."

선록은 여자를 한참 동안 응시했다. 생각이 많아진 탓이었다. 선록도 여자가 범인일 거라 생각했지만 보다 확실한 물증이 필요했다. 조사가 더 필요했다.

"완석, 연극배우 용의자 심문 준비해 줘."

피해자의 아가씨이자 연극배우인 피의자는 검은색 목티와 청바지를 입고 팔짱을 낀 채로 삐딱하게 완석을 노려봤다. 앞선 심문 대상자였던 피의자와 모녀지간이라고 말하지 않아도 알 정도로 둘은 닮았다. 유리처럼 하얀 피부와 아치형 눈썹, 이글거리는 눈빛, 그리고 오뚝한 코와 깊은 눈매가 특히 더 그랬다. 심문실과는 전혀 어울리지 않는 고운 외모였다.

"모서리 테이프는 제가 연극 무대에서 소량 챙겨온 거예요. 엄마가 자주 부딪히신다고 하셔서요. 바닥에 왜 붙어 있었는지는 모르겠네요."

완석은 차분하게 그녀를 응시하며 모니터에 포스터를 보이며 그녀가 볼 수 있도록 화면을 돌렸다. 연극 무대 포스터였다.

"제가 3년 전에 했던 연극이네요. 이건 왜요?"

"여기 연극팀에서 근무하시는 분이 그러시더라고요. 연극을 직접 쓰고 연출할 거라고 퇴사하셨다고. 근데 그 이후로 작품 하신 게 없네요? 어떤 작품을 준비하시는 거죠?"

여자는 목티를 만지작거리며 형사의 눈을 피했다. 가볍게 기침을 한 후 담담하고 차분하게 형사의 물음에 답했다.

"아직 준비 단계라 말씀 못 드리네요. 그게 언니 죽은 거랑 뭔 상관이죠?"

완석은 여자가 닳도록 만지고 있는 목티가 거슬리기 시작했다. 질문해야 할 목록들이 산더미였지만, 목티에 관한 질문을 하지 않고는 다음 심문을 이어 나가지 못할 지경이었다. 유리 너머에 있는 완석의 오랜 파트너 또한 같은 생각을 하고 있었으리라.

"목이 아주 불편하신가 봐요? 계속 만지시네요."

여자는 눈이 커지며 황급히 두 손을 아래로 내렸다. 여자는 방금 전보다 더욱 화가 난 표정으로 미간을 찌푸렸다. 완석은 그녀가 인상을 쓸수록 모녀의 얼굴이 묘하게 겹쳐 보였다.

"알레르기가 있어서요. 아까부터 이상한 질문만 계속하시는데, 이러면 협조 못 해 드려요. 언니 죽은 사건에 관해서만 물어보시죠."

"걷어보세요, 목티. 알레르기일지 피해자의 혈흔이 묻은 흔적일지 또 모르잖습니까?"

완석은 자신이 한 말이 어쩌면 무례할지도 모른다는 사실을 알았지만, 그가 수사할 때 중요하게 생각하는 그 '감'을 언제나 믿어왔기에 이번에도 느낌대로 돌진했다. 완석은 완고했다. 여자는 성희롱이라며 끝까지 안 걷겠노라 화를 내보였지만, 완석은 여성 경찰관을 심문실에 불러 목티 안에 꼭꼭 숨겨 두었던 그녀의 비밀을 눈으로 확인했다. 정확하게는, 완석의 방향에서는 알 수 없었던 것을 경찰관이 '목뒤에 상처가 있습니다'라고 말해준 덕에 등 뒤로 돌아가 눈으로 확인하게 됐다. 목뒤에는 붉은 선 자국이 선명하고 길게 이어져 있었고, 혈흔이 묻어 있었다. 완석은 목뒤에 난 상처의 모양을 보고 피해자의 일기를 떠올렸다. 피해자는 아가씨가 목티와 반지, 그리고 목걸이를 훔쳐 갔다고 했다. 완석은 아무 말 없이 유리창 너머를 응시했다. '선록, 너도 같은 생각이지?'. 선록은 그런 완석을 바라보며 다급히 완석의 노트북을 열었다. 완석의 노트북 비밀번호는 언제나 11월 03일, 완석의 생일이었다. 선록은 피해자가 쓴 일기 원본을 찾아보기 시작했고, 바탕화면에 '강민정_일기.docs' 파일을 쉽게 발견할 수 있었다. 이 일기에 피해자가 말하고자 하는 메시지가, 종이로 프린트했을 때 알아보지 못했던 것이 분명히 있을 것이다. 선록은 일기 문자 하나하나에 마우스 커서를 가져다 대며 처음 종이로 읽었을 때와는 다른 방법으로 일기를 천천히 읽기 시작했다.

선록은 벌써 세 차례나 일기를 정독하고 있었지만 일기 속에 숨겨진 단서나 메시지는 찾지 못했다. 하지만 한 가지는 확실했다. 피해자는 이따금 일기 중간에 줄 바꿈을 했는데, 이에 대한 규칙을 찾아보려 해도 찾아볼 수 없었다. 줄 바꿈은 불규칙적이었고, 특별한 문장이나 메시지는 없었다. 그나마 유일하게 줄 바꿈 된 문장 중에 어색함을 느꼈던 문장은 2023년 03월 02일에 작성된 일기 '진짜 죽여버리려고'였는데, 이걸로 알 수 있는 정보는 없었다. 선록은 '죽여버리려고'에 마우스 커서를 가져다 댔다.

'이 문장만 줄 바꿈 된 이유가 있을 텐데.'

마침내 선록은 '죽여버리려고'가 말하는 수수께끼를 찾아냈다. 마우스 커서가 올려져 있던 그 부분은 홀로 폰트 크기가 0.5포인트 정도 작았고, 글자 색도 묘하게 회색빛에 가까웠다. 선록은 마우스 휠을 올려 문서로 작성된 첫 일기 속에 줄 바꿈 된 문장을 찾았다. 2023년 02월 25일 일기 두 번째 문단에 '내가 꾸린 가족이다.' 부분에 '가족이다.' 피해자가 남긴 흔적일 것이다. 선록은 같은 날짜에 다른 단서는 없는지 포인팅 하며 읽어 내려갔다. 마찬가지로 폰트 크기가 작고, 색상이 옅었던 글은 '일기는', '하고,', '나를' 이렇게 세 가지였다. 선록은 종이에 받아 적기 시작했다. '가족이다. 일기는 하고, 나를'. 연계성이 없었고, 문장이 되지 않았다. 분명 이다음 일기에 또 다른 단서가 숨겨져 있을 것이었다. 피해자가 녹여낸 힌트를 발견하고 나니 포인팅을 하지 않아도 유난히 작은 글씨들을 단숨에 찾아낼 수 있었다. 그 이후 추가로 나온 것들은 '아가씨가,', '시어머니가', '지웠다', '범인은', '남편이 CCTV 영상을', '죽여버리려고'. 선록은 나온 순서대로 종이에 정리한 것을 읽었다.

"가족이다 일기는 하고 나를 아가씨가 시어머니가 지웠다 범인은 남편이 CCTV 영상을 죽여버리려고…"

마찬가지로 문장이 되지 않았다. 피해자는 굳이 쉼표와 온점까지 폰트 크기를 조절했다. 이는 피해자가 남기고자 하는 메시지의 중간과 끝이 정해져 있다는 의미일 것이다. 선록은 '가족이다.'를 마지막에 배치하고 '하고,'와 '아가씨가,'를 중간에 배치했다. 선록은 종이에 여러 가지 조합을 시도했고, 몇 번 만에 피해자가 말하고자 하는 메시지를 찾아냈다.

"시어머니가 나를 죽여버리려고 하고, 일기는 아가씨가, 남편이 CCTV 영상을 지웠다 범인은 가족이다."

선록의 휴대전화가 요란하게 울리기 시작했다. 현장에서 마주친 당수사관이었다.

"방탐정님, 피해자 손에 난 자국 말인데요. 아까 말씀해 주신 대로 별 모양 목걸이라고 가정하고 자국과 비교해 봤는데, 별 모양의 일부가 맞는 것 같습니다. 미세한 큐빅들도 발견 됐는데, 주로 악세사리에 쓰이는 성분이 검출됐어요. 이 흔적들을 종합해 보면 피해자는 목걸이를 강하게 낚아챘고, 그 결과로 손에 별 모양 자국과 목걸이의 큐빅이 박히게 된 것 같습니다. 만약 목걸이가 어딘가에 걸려 있었다면 피해자가 사망한 위치 근방에 그 흠집이 남아 있었을 텐데 감식반이 찾아본 결과 그 어느 곳에도 흔적은 없었어요. 아무래도 누군가의 목에 걸려 있었던 것 같습니다. 현장을 꼼꼼히 살펴보고 있지만 아직 목걸이는 나오지 않았어요. 이미 범인이…"

선록은 눈을 가늘게 뜨고 목티를 입고 있는 용의자를 지그시 응시했다. 목티 속에 엄청난 비밀을 가려야만 했던 한 여자의 표정과 제스처를 확인하기 위함이었다. 그녀는 불안해 보였지만 애써 감추는 듯했다. 더 이상 팔짱을 끼고 있지 않았다. 그녀는 무의식적으로 두 팔을 책상 아래에 두며 손톱을 뜯고 있었다. 완석은 문을 벌컥 열고 들어와 선록을 바라봤다. 자연스레 선록이 적어둔 종이에 눈이 갔고, 이내 완석은 선록이 해낼 줄 알았음에 절로 미소가 지어졌다.

"방형사, 들었는지는 모르겠지만 피의자가 심문하다가 말실수를 했어. 작업실에서 연극 집필을 했다고 하네. 지금 김형사가 가족들 이름으로 월세 계약된 사무실이나 공유 오피스 등을 찾아보고 있는데 금방 전화 올 것 같아. 그때까지 마지막 심문 시작해 보자고, 파트너!"

완석은 용의자 세 명 중에 지금 눈앞에 있는 피해자의 남편이 가장 정서적으로 '불안해 보이는 사람처럼' 느껴졌다. 그는 눈물을 머금고 있었고, 목소리는 심하게 떨렸으며 손톱을 물어뜯고 있었다. 완석은 형사 생활을 해오면서 다양한 용의자들과 유가족들을 만나봤는데, 지금 눈앞에 있는 이 남자의 태도는 유가족과 용의자 그 어디 중간쯤이었다. 형사가 심문실 안을 들어가고, 심문은 무거운 분위기에서 시작됐다.

"테이프, 바닥에 왜 붙였어요?"

남자는 형사의 말에 눈물을 흘리기 시작했다. 손톱은 손으로 뜯기 시작했고, 불안 증세는 더해져 두 다리를 심하게 떨어댔다.

"저는 민정이를 엄청나게 사랑해요. 바닥에 붙인 건 어두우니까 붙인 거예요. 민정이와 함께 우리 집에 오지 않았더라면 제 아내는 살아 있었을까요? 언제나 용기를 내라고 말해 줬었는데. 그 용기를 한 번도 제대로 보여준 적이 없어요. 바보 같죠?"

남자는 하고 싶은 말이 아주 많아 보였다. 마치 이 시간을 오랫동안 기다려왔던 것처럼 형사가 말을 이어 나갈 틈도 주지 않고 홀로 달리기 시작했다.

"민정이는 목걸이를 정말 좋아했어요. 제가 준 첫 선물이었거든요. 착용하면 닳을까 항상 보관함에 고이 모셔 두기도 한 걸요. 아기도 낳고 싶지 않아 했어요. 나와의 신혼을 더 즐기고 싶다고 했고, 아직 아기를 키울 만큼 본인이 성숙하지 않다고요. 내가 보기엔 충분히 성숙했는데도요. 사실 민정이와의 결혼도 우리 집에선 반대가 컸어요. 어머니는 가족이 아닌 사람들은 항상 끔찍하게 더럽다고 했거든요. 그들은 절대 가족이 될 수 없다고요. 그래서 제가 무릎 꿇고 부탁드렸어요. 같이 살고 싶다고. 정말 많이 맞았죠. 30년 동안 맞은 것을 다 합친 것보다 그날이 더 아팠어요. 그래도 참을 수 있었죠. 민정이와 함께 살 수만 있다면."

완석은 남자의 말을 멈추지 않고 계속 들어주는 형사의 태도에 화가 나기 시작했다. 용의자들을 붙잡아 둘 수 있는 시간이 정해져 있는데, 한가롭게 한 남자의 한풀이나 듣고 있을 시간이 없었다. 이대로라면 꼼짝 없이 범인을 놓아줘야 할 판이었다. 완석은 키보드로 다가가 심문 하라고 글을 쓰려던 순간 선록은 그를 제지했다.

"녀석이 수수께끼에 대한 핵심을 쥐고 있어. 기다려보지 완석."

완석은 한숨을 쉬곤 다시 자리로 돌아와 남자를 지켜봤다. 선록이 말하는 핵심을 남자의 말 속에서 찾아보기로 했다.

"조건은 함께 거주였어요. 그래서 딱 일 년 반만 시간을 달라고 했어요. 그 시간 동안 은별이도 태어나고, 아내와 행복한 시간도 보냈어요. 말도 못 하게 행복했죠. 지금도 그때를 생각하면 한여름 밤의 꿈 같아요. 우리 세 가족이 어머니의 집으로 들어오자마자 연극은 시작됐어요. 어쩌면 그 이전부터 연극을 준비하고 있었는지도 몰라요. 나는 선택권이 없었어요. 극본과 연출은 동생이 하고, 감독은 어머니가 했으니까요. 나는 그저 보조 출연자 또는 무대 청소 담당 그 이상 그 이하도 아니었죠. 그래서 열심히 청소했어요. 닦고, 지우고."

"연극이요?"

"네, 연극이요. 무대도 전부 정해져 있었죠. 그래서 무서웠어요 그 공간이. 그래도 나는 용기가 없었어요. 열두 살 때 연극을 처음 봤는데, 그때 처음부터 끝까지 전부 봐 버리는 바람에 밤에 잠을 못 이뤘거든요. 민정이를 만나고 나서부터 밤이 편안해진 것 같아요. 연극을 멈출 힘 같은 건 나한테 없었거든요. 그저 도망갈 용기만 있을 뿐이에요. 나는 항상 붉은색을 찾아 그곳에 몸을 숨겼어요. 불이 나도 살 수 있게. 열두 살 때도 그 안에 숨어 있었거든요."

완석은 남자가 도통 무슨 말을 하는지 알 수 없었다. 확실한 건 지금 엄청나게 불안한 사람이라는 것, 어릴 때 트라우마가 있었다는 것 정도이다. 범죄심리분석관의 도움을 본부에 요청해야겠다는 생각이 들었을 때, 그의 옆엔 오랜 파트너 선록이 있음을 깨달았다. 선록은 형사 시절에 범죄심리분석을 별도로 공부해 실무에 적용하고, 빠른 속도로 전문성을 키워 나갔다. 오죽하면 신입 분석관들이 선록에게 자문을 요청하기도 했다. 그는 사건을 해결할 수 있는 것이라면 무엇이든 했다. 범죄심리분석도 그중의 하나였고, 다른 하나는 운동이었다. 범인을 잡기 위해서는 언제나 체력이 뒷받침되어야 한다고 말했고 그는 그걸 행동으로 보여주는 사람이었다. 일을 그만두고 범인을 마주할 일이 없는 지금도 선록은 심리분석을 공부하고, 운동을 다녔다. 완석은 그의 곁에 서서 기다리기만 하면 심문실 안 남자의 분석을 마치고 남자가 말하는 정체불명 증언의 핵심을 선록이 찾아낼 것이라고 굳게 믿고 있었다.

"당수사관 아직 현장에 있지? 현장 바깥 복도 소방 시설 좀 확인해 달라고 해줘. 아파트 전 층 다."

완석은 갑자기 웬 소방시설인가 했지만, 남자의 증언 속에서 선록이 힌트를 얻었음을 알 수 있었다. 휴대전화를 들고 당수사관에게 전화를 누르려던 찰나에 전화가 울렸다. 김형사였다.

"전형사님 피해자 남편의 이름으로 두 곳이 계약되어 있어서 다 가 봤는데, 첫 번째 계약된 곳은 아파트였고 피해자와 함께 거주 했었던 공간이라 큰 특이 사항은 없었습니다. 지금 두 번째 현장에 와 있는데, 오피스텔이에요. 들어 오자마자 전화 드리는 거예요. 제가 너무 충격이라."

"무슨 일인데?"

김형사는 몇 번의 감탄사를 내보인 후, 두서없이 얘기하기 시작했다.

"여기 엄청납니다. 그 아가씨 작업실 같은데 이거 와. 바닥에 야광 테이프 그거 있고요. 사건 현장의 축소판 같아요. 여기도 모서리마다 테이프 붙어있어요. 더 웃긴 건 마네킹 같은 게 있는데, 얘도 후두부가 파손돼 있습니다. 뭔데? 그거 뭐야? 잠시만요."

완석은 상황을 볼 수가 없어 답답했다. 그런 와중에 김형사도 통화 중 자리를 비워 난처한 상황이었다. 완석은 선록이 들을 수 있도록 스피커폰으로 전환했다.

"여기 '마지막 밤'이라고 적혀 있는 대본집 같은 게 있거든요? 여기다! 나와 있습니다. 지금 보니까 피해자를 감금하면서 환각제를 먹이고, 아이를 훔쳐 가는 것을 시작으로 피해자의 감정선을 건드린대요.

두 번째 계획으로는 피해자가 아끼는 물건들을 훔치고 방에 CCTV를 설치해 모든 행적을 감시해요. 그냥 사람을 돌아 버리게 만드는 거예요. 멀쩡한 사람을. 그리고 남편이 준 별 목걸이로 피해자를 유인해 마지막 밤을 보내게 만든다고 적혀 있어요. 이것들 완전 악질이네? 여기서 연습도 한 것 같아요. 마지막 밤에 피해자와 나눠야 하는 대사들도 다 적혀 있어요. 심지어 진술서 내용도 세 명 각기 다르게 다 준비해 놨어요. 상상을 초월합니다. 일단 현장 주소랑 사진 촬영해서 보내 드릴게요."

완석은 전화를 끊고 바로 당 수사관에게 전화했다. 머리가 복잡해지고 인간의 잔혹함에 소름이 끼쳤다. 화가 치밀어, 또 열이 나 식은땀이 났다. 오랜만에 느끼는 감정이었다. 선록은 통화 내용을 모두 듣고 있었음에도 여전히 평온하게 심문실 안 남자를 응시했다. 그러곤 저벅저벅 방을 나가 남자가 있는 곳으로 들어갔다. 이제 완석은 혼자 남아 방 안의 남자와 선록을 번갈아 가며 지켜봤다. 선록이 왜 심문실로 들어갔는지는 알 수 없었다.

"피해자가 일기를 썼죠."

남자는 여전히 눈물이 고여 있었고, 손을 뜯고 있었다. 선록 특유의 묵직한 동굴 같은 저음에 방 안의 공기는 단숨에 무거워졌다.

"시어머니가 나를 죽여버리려고 하고, 일기는 아가씨가, 남편이 CCTV 영상을 지웠다 범인은 가족이다."

"그게 무슨 말입니까? 일기에 그런 내용은 없었어요."

"피해자가 일기에 남긴 힌트입니다. 일기를 써도 계속 누군가가 지워버렸기 때문에 꼭꼭 숨겨 두었어요. 남편조차 모르게. 그녀는 가족들이 본인을 죽이려 한다는 사실을 알았는데도 왜 도망가지 않았을까요? 성인 여성이라면 충분히 도망칠 수 있었을 텐데요. 그녀를 가뒀나요?"

남자는 선록의 말에 손을 떨기 시작했다. 책상이 다 흔들릴 지경이었다.

"어머니는 때때로 벌하시기도 하시지만, 항상 벌하시지는 않으세요. 순종하기 시작하면 문은 열어두죠. 민정이의 방문도 열려 있었습니다."

선록은 남자의 가늘게 째진 눈을 똑바로 응시했다. 살짝 충혈되어 있어 붉은 끼가 돌았다. 눈물이 흘러내리고 있었지만, 선록은 크게 신경 쓰지 않았다. 눈물도 가증스럽게 느껴졌기 때문이다. 선록은 이러한 부류의 사람을 가장 질색한다. 악이 받친 사람들보다도, 잔인하게 사람을 찔러 죽이는 사람들보다도 특히 피해자의 마음을 가지고 노는 부류들을 제일 혐오한다. 고의였든, 고의가 아니었든 간에.

"피해자는 바보 같게도 남편을 믿어보려고 했어요. 문서야 가족들이 조작했다 치고, 그녀의 필체가 고스란히 담긴 종이 일기 속에선 반복적으로 '남편'이 등장하고, 그와 상의하겠다고 얘기해요. 그러곤 남편과 '집'에 대해 상의하고 싶어 합니다. 당신과 도망치고 싶었던 것이겠죠."

선록은 목소리가 가늘게 떨리기 시작했다. 완석은 그가 화가 나 있음을 단번에 알아차릴 수 있었다.

"내 행동이 마음에 안 드시는 것일까? 아무래도 말을 잘 안 섞어서 더 그럴지도 모르겠다. 그래도 내가 먹어야 할 약은 제시간에 꼬박꼬박 챙겨 주신다. 감사하지만, 여전히 어렵다. 내일은 남편에게 아기가 100일이 되면 다시 집으로 돌아가자고 말해봐야겠다."

선록은 사건 집에 적혀 있던 피해자의 일기 중 일부분을 읽어 내려갔다. 남자의 안색은 창백해지고 있었다.

"피해자는 천천히 깨닫고 있었어요. 어느새 달린 안방의 CCTV가 아기를 위해 설치한 것이 아니라, 자기를 감시하려고 설치했다는 것쯤은 금방 알아차릴 수 있었거든요. 피해자가 일기를 작성하는 공간. 거기를 위주로 찍고 있었죠. 약을 먹지 않고 버려버리는 것도 온 가족이 알았고, 그럴 때마다 가족들은 약을 잘 챙겨 먹으라고 했겠죠. 당신 포함해서요. 피해자는 당신이 용기를 내기를 바랐어요. 집으로 돌아가자고 거듭 말하면서 아기와 자기 자신을 지켜주기를. 자기가 주인공인 이 잔혹한 연극을 끝내주기를."

선록은 남자와 형사만을 남겨두고 차갑게 얼어붙은 그곳을 유유히 걸어 나왔다. 그의 등 뒤에서 남자는 서럽게 울부짖었다. 마치 12살 어린아이처럼.

완석의 곁으로 돌아온 선록의 표정은 살벌했다. 물어보고 싶은 것들이 한가득이었지만 이맛살이 잔뜩 찌푸려진 선록을 감히 건들 수 없었다. 그런 둘 사이의 침묵을 깬 것은 당수사관의 전화였다.

"전형사님!"

당수사관의 목소리는 다급해 보였다. 통화 넘어 들리는 소리는 시끌벅적했고, 당 수사관의 목소리도 겨우 들릴 지경이었다. 아까 선록이 말했던 '소방 시설'과 관련이 있는 전화임이 틀림없었다.

"사건 현장 한 층 아래 12층 소방 시설에서 CCTV 녹화 SD 칩이 발견됐어요. 바로 내용 확인해 봤는데, 카메라를 설치한 시점부터 피해가 발생했던 날까지의 모든 날이 녹화됐습니다. 피해자 남편의 지문이 선명하게 묻어 있어요."

완석은 이번에도 스피커 모드로 변환하고 선록에게 통화 내용을 간접적으로 전달했다. 선록의 표정을 보아하니 충분히 예상했다는 자신만만한 얼굴이었다. 남자의 진술로 이렇게까지 추리를 해낸 선록이 완석은 대견하다 못해 자신이 사건을 직접 해결한 사람처럼 어깨를 잔뜩 세워 보였다.

"그 외에 나온 증거 물품도 있습니까?"

"아까 현장에서 발견되지 않았던 피해자의 목걸이요. 별 목걸이도 발견됐습니다. 별 모양 부근에 혈흔이 살짝 묻어 있었고 피해자의 살점도 나왔어요. 피해자의 DNA와도 일치합니다. 그리고 작은 유리병 안에 흰 색 가루도 발견했는데, 이것도 현재 감식 중입니다."

선록은 두 눈을 질끈 감으며 한숨을 쉬었다. 흰 색 가루는 분명 피해자의 정신을 교란할 목적으로 사용된 환각제일 것이다. 한 여자의 인생을 처참하고 잔혹하게 갈아 먹은 남자와 그 가족들에 치가 떨렸다. 강제로 피해자에게 아이를 이용해 트라우마를 주입하고, 도망가지 못하도록 그녀의 사랑을 범행에 사용했다. 죽음을 직감하고 정신이 돌아왔을 때 다급히 일기에 자신의 메시지를 담아냈을 여자의 마음을 감히 상상할 수도 없었다. 그 아픔을 감히 공감한다고 표현할 수도 없는 노릇이었다. 선록은 괴로움을 억누르고 천천히 말을 이어갔다.

"그 외에 나온 것은 없습니까? 아버지에 대한 흔적이라든지요. 낡은 열쇠나 지도 같은 것일 수도 있습니다."

"말씀드린 증거들이 전부입니다. 아버지라니요?"

완석은 '낡은 열쇠나 지도'에 집중했다. 선록이 찾는 것은 피해자를 죽인 증거가 아닌 피해자의 시아버지를 죽인 증거일 것이다. 20년도 더 된 증거물을 지금도 울부짖고 있는 저 남자가 갖고 있을까? 완석은 의아했다.

"저 남자가 새아빠를 죽인 증거도 갖고 있는 거, 확실해?"

궁금증을 참지 못하고 선록에게 질문했다. 선록은 눈썹을 잔뜩 찌푸리며 남자를 똑바로 응시하며 말했다.

"남자는 공포에 떨고 있어. 어릴 적 어머니가 최초의 살인을 저지르는 것을 두 눈으로 목격하고 지금까지 어머니에 대한 공포심에 시달리고 있어. 끊임없이 정신적으로도 신체적으로도 학대를 당해왔기 때문에 어머니를 이겨낼 용기도 없을뿐더러 싸울 힘도 없었겠지. 그래서 숨기고 숨겨왔어. 어릴 적, 아버지가 죽임을 당한 후에 소방 시설 안에 몸을 숨긴 것처럼. 그래서 소방 시설이 마음의 안정 터가 됐을 거야. 아버지를 죽인 증거도 반드시 갖고 있을 텐데…"

완석은 남자의 진술만으로 그의 성향을 완벽하게 파악한 선록이 대단하다고 느껴졌다. 역시 그는 지금까지도 꾸준히 범죄자의 심리를 공부하고 있었으리라. 완석은 남자가 아버지에 대한 증거를 숨길 수 있는 공간이 어딜지 생각해 봤다. 당 수사관은 전 층을 다 조사해 본 결과 12층에서만 증거가 발견됐다고 했다. 남자의 안식처가 소방 시설이라면 그 외의 안식처는 또 없었을까?

'조건은 함께 거주였어요. 그래서 딱 일 년 반만 시간을 달라고 했어요. 그 시간 동안 은별이도 태어나고, 아내와 행복한 시간도 보냈어요. 말도 못 하게 행복했죠. 지금도 그때를 생각하면 한여름 밤의 꿈 같아요.'

완석은 남자가 진술했던 말을 떠올렸다. 그는 일 년 반 동안 피해자와 함께 거주했고, 그 시간을 지금까지도 추억하고 있다. 어쩌면 남자의 또 다른 안식처가 피해자와 함께 거주하던 공간이었을 것이라고 완석은 추리했다.

"당수사관님, 피해자가 원래 거주하던 아파트. 거기 12층 소방 시설도 한 번 확인해 주시겠어요? 12살에 갇혀 있는 한 남자가 무언갈 숨기려고 한다면, 그곳일 겁니다."

*

조용한 거실 한가운데에서 아나운서의 목소리가 울려 퍼졌다. 오전 6시. 선록이 매일 기상하는 시간이자, 하루의 시작을 뉴스와 함께하는 시간이다. 선록은 늘 그랬듯 냉장고에서 차가운 우유를 꺼내 들고, 그릇과 숟가락을 챙겨 소파에 앉았다. 시리얼을 담고 묵묵히 아나운서의 목소리에 집중했다.

 "지난 7일 새벽에 갓 100일 난 아기를 두고 시어머니와 며느리가 실랑이를 벌이다 며느리인 30대 여성 A 씨가 숨져 경찰이 수사에 나섰는데요. 이는 한 가족이 오랜 시간 공들여 계획적으로 피해자를 죽인 사건으로, 연극배우였던 피해자의 아가씨 작업실에서 사건 현장과 똑 닮은 형태의 현장을 구현해 끊임없이 살인을 연습했습니다. 가족들은 약 3개월 동안 피해자에게 환각제를 먹이고 물건을 훔치는 등의 행위를 통해 피해자의 정신을 교란하고, 피해자가 가장 아끼는 목걸이를 훔쳐 살인 사건에 이용했습니다. 피해자는 사망하기 직전에 목걸이를 되찾고자 아가씨의 목에 걸려 있던 목걸이를 강하게 낚아챘고, 그 상태로 밀려 거실 테이블 모서리에 부딪히며 사망했습니다. 당시에 상황을 녹화해 두었던 음성 녹음 파일과 살인에 쓰인 피해자의 목걸이, 그리고 피해자를 교란한 환각제까지 사건 현장 아파트 12층 복도 소화 시설 안에서 발견됐습니다. 그뿐만 아니라 낡은 열쇠와 주소도 함께 발견됐는데, 경찰이 수사해 본 결과 실종된 피해자의 시아버지 백골 시체가 묻혀 있던 곳으로 극악무도한 가족의 연쇄 살인을…"

 선록은 오늘따라 유난히 시끄럽게 느껴지는 티브이를 껐다. 머리가 지끈거렸다. 지독한 악몽을 꾸고 나온 탓에 두통이 끊이질 않았다. 소파에 기대어 얼굴을 감쌌다. 등을 대자마자 휴대전화의 진동음 울려댔다. 그 녀석일 것이다.

 "방형사, 이번에도 도와줬으면 하는 사건이 있어."

이 비행기에서 내리면

송선경

송선경   작가가 되라는 엄마말 안 듣고 IT의 길로 갔습니다. 내 자리를 찾지 못
하고 방황하던 중 마지막으로 들어간 회사에서 남편을 만났습니다. 매
콤달콤했던 러브스토리를 어떤 형태로든 남기고 싶었고, 그래서 글을
쓰기 시작했습니다. 말 안 듣던 그 아이는 어른이 되어 작가를 꿈꿉니
다.

블로그 : blog.naver.com/jooryda

"도착해서 만나요."

　나는 고개를 끄덕이고는 휴대전화를 열어 모바일 탑승권의 자리를 한 번 더 확인했다. 그리고 그 사람보다 한발 앞서 기내로 걸어 들어갔다. 제일 앞자리 오른쪽 창가 좌석을 예약한 거라 사실 좌석 번호를 보지 않아도 알고 있었다. 이상하고 어색해서 핸드폰으로 시선을 옮기고 싶었고, 자리에만 앉으면 아무도 쳐다보지 않을 것 같아서였다. 이 지나가는 사람 중에 그렇게 나에게 관심 있는 사람은 없을 텐데, 그냥 친구 사이로 보일 수도 있을 건데 혹시라도 누가 알아볼까 신경이 쓰였다. 그는 뒷좌석으로 갔다. 얼핏 보니 꽤 멀었다. 한 열 칸 정도 뒤에 있는 것 같았는데 다행히 옆자리는 남자인 것 같다. 그가 기내용 캐리어를 오버헤드 빈에 넣고 그대로 서서 좌석을 한 번 더 확인하고 있다. 자리에 앉아 이어폰 꽂는 것을 보고 나서야 나도 제대로 앉았다. 이런 무모한 짓을 기어이 저지르다니 나도 내가 미친 것 같았다. 곧 출발한다는 기내 방송이 나와 휴대폰을 한 번 더 확인한다. 다행히 '잘 다녀와'라는 남자친구의 메시지 하나만 있었다. 이륙 소리가 들리자, 전원을 껐다. 어제까지의 내 일상도 잠시 꺼둔다.

3개월 전 여름, 갑작스럽게 파견을 갔던 사무실에 그 남자가 있었다. 낯선 나의 등장에 몸을 돌려 쳐다보고 있는 사람도 있지만, 계속 모니터만 응시하고 있는 사람도 있었다. 나중에 알게 된 사실은 여자 직원이 새로 온다는 소식이 달갑지 않았던 사람이 꽤 많았다고 한다. 죄다 남자 직원들이라 감정적인 여직원들과 일하기 불편하다고, 일전에 불편했던 일이 있었다고 했다. 그 남자도 등을 돌리고 있었다. 작은 사무실 안에 꾸역꾸역 끼워 넣은 듯 벽면 가득 빼곡한 모니터가 압도적이었고, 책상마다 모니터가 족히 두 대 이상은 되었다. 메인 벽에 있는 가장 커다란 모니터에는 각종 통계 화면과 실시간으로 측정되는 숫자들이 많았고, 옆에 붙은 작은 모니터들은 이따금 경보음도 울렸다. 수시로 뒤에 있던 관리자가 앞으로 나와서 어떤 이벤트 인지 확인하고 갔다. 그 혼란에서 가장 멀찍이 떨어진 가장자리 책상을 지정받았다. 앞선 그 일이라는 것 때문인지 아니면 얼마 안 된 낯선 사람이라 그런지 다들 맡은 업무에만 집중하느라 매뉴얼 하나 던져주는 사람이 없었다. 그 우왕좌왕 하는 내 모습이 애잔했는지 그 남자가 유일하게 먼저 다가왔다.

"제가 알려주는 대로 장비에 접속해 봐요."

얼굴형이 갸름하진 않은데 눈부터 코로 내려오는 옆 선이 제법 날렵했다. 쌍꺼풀이 없으면서도 크고 진한 눈매가 시원했고 그 깊은 눈을 날카로운 듯 오뚝하게 떨어지는 코가 받쳐주고 있었다. 내 자그마한 코가 콤플렉스라 사람 얼굴을 볼 때 코를 유독 관찰하는데 유난히 높던 그 코에 내 시선이 꽂혔다.

"여기 클릭해야죠."

잠시 딴짓 중이던 나를 눈치챘는지 계속 이어가라고 그가 말했다. 그 남자는 그날 이후로도 계속 내 업무를 도와주고 알려줬다. 그 사람의 근무조가 휴무인 날엔 다른 직원이 일을 알려주었지만, 자세히 설명해 주는 것이나 센스 있고 빠르게 처리하는 법을 알려주는 것이 그 남자만은 못했다. 그러한 이유로 어떤 질문이나 막히는 일이 생길 때에 동료나 관리자에게 물어볼 수도 있었음에도 그 남자 직원이 틈이 나길 기다렸다가 묻곤 했다. 그렇게 조금씩 사무실에 적응하며 그 남자와 대화할 일도 많아졌고 약간의 농담도 주고받기 시작했다.

"어? 우리 동갑이네요."

내 나이를 들은 그 남자가 말했다.

"네, 동갑인데 저는 대리이고, 재하 씨는 주임이죠."

나름 친해졌다고 생각한 나는 그를 놀리듯 장난으로 대답했다. 사실 입사할 때 주임으로 직급을 받았는데, 이곳에 파견 나와서는 강제 대리 승진이 되었다. 명함상으로만 주어지는 승진인데 고객사 보이기용 직급이다. 처음 발령해 오게 된 날 대리로 호명하라고 팀장님이 팀원들에게 공지하셨다.

"아 나이도 같고 주임인 것도 다 아는데 대리님이라고 모시기 좀 그러네…"

"그럼 뭐라고 부르고 싶은데요?"

"주임이고… 대리니까… 주리라고 부를게요."

어이없이 웃음이 터져버린 나는 그렇게 하라고 했고, 재하는 그때부터 나를 주리라고 부르기 시작했다. 나이가 같아서 그랬을까, 서로만 아는 호칭이 생겨서였을까, 업무를 하는 와중에도, 화장실을 오며가며 스치는 와중에도, 나른해지는 오후 시간 잠시 티타임을 하면서도 다른 어떤 직원들 보다 재하와 부쩍 얘기하는 시간이 많아졌다. 취미생활 이야기를 나누다 보면 공통의 관심사도 자주 등장했고, 생각해 보지 않았던 분야에 대한 주제가 등장해도 매우 솔깃했고 흥미가커졌다. 그도 그랬는지 서울에 온 지 오래되었어도 가본 곳이 많이 없다며 추천해 줄 만한 맛집의 정보나 흥미로웠던 여행지에 대한 이야기들을 나에게 듣고 싶어 했다. 주말 후 출근해서 휴일에 어떻게 보냈는지 동료끼리 통상 나누는 이 작은 대화에도 우리는 생기가 넘쳤다. 서로 같은 주말을 보낸 것이 아님에도 마치 함께 보낸 것만큼 이야기가 길어지는데 이런 게 티키타카라는 걸까. 오랜만에 단짝 친구가 생긴 듯한 기분에 좋으면서 신기했다.

"뭐 하고 있어?"

남자친구가 밥을 먹다 말고 물었다. 휴대전화로 답장을 보내고 있던 내 손은 서둘러 화면을 바닥으로 가게 내려두고 다시 젓가락을 집었다.

"광고 메시지 와서 확인했어."

내 입이 다른 말을 했다. 낮에 사무실에서 재하와 게임 이야기를 하다 퇴근했는데, 그 대화가 마무리가 안 되어 지하철 퇴근길부터 저녁 먹고 있던 지금 이 식당에서까지 이어지고 있었다. 메시지를 주고받는 사람이 남자라는 사실을 말할 수 없어 순간적으로 나온 거짓말이었다. 내 앞에 앉아 있는 저 사람이 남자친구이니까. 밥 먹는 데 집중하지 않고 뭐하나 궁금해서 묻긴 했지만, 그 관심은 오래가지 않았는지 남자친구는 다른 말을 이어갔다.

"자기 그 케이스 깔끔하고 좋은 것 같아. 나도 같은 걸로 살까?"

"에이 오빠랑 내가 언제부터 커플 아이템을 그렇게 했다고."

"좀 그런가."

사서 끼운 지 반년은 된 것 같은 이 휴대폰케이스가 요즘 들어 이쁘다고 했다. 진한 노란색의 실리콘 케이스가 단번에 눈에 들어 고민도 않고 샀다. 하지만 화면이 항상 위에 있던 터라 노란색은 거의 보이지 않았다. 그래서인지 내가 케이스를 바꾼 사실도 남자친구는 한참 뒤에나 알았다. 그런데 최근 노란색이 보이는 날이 많아지면서 이 케이스에 눈이 가기 시작한 것 같았다.

"있지, 내가 관심 가는 게임이 있는데"

다른 화제로 돌리기 위해 던진 말이 하필 이 이야기다. 하긴 지금 머릿속으로 계속 그 이야기만 주고받고 있으니 다른 것은 생각이 안 났다.

"게임? 너 게임 안 좋아하잖아."

"아니 뭐 좋아할 수도 있지. 나도 예전엔 게임 했었어."

"그래? 난 게임하는 여자는 별로긴 한데, 뭔데?"

"아니야, 다 먹었으면 일어나자."

평소보다 삼십 분 더 일찍 일어나 고데기로 웨이브를 만드는데도 그 후끈한 열기에 짜증 나지 않았고 졸리지도 않았다. 얼른 가서 시원한 커피 마시면 되지 뭐. 꼬박 오십 분을 서서 가야 했던 지하철 출근길도 왜 인지 짧게 느껴지기도 했다. 회사 건너편의 카페에서 재하와 만나 커피를 사 들고 출근하기 위해 이런 부지런을 떠는 건데 피곤은커녕 상쾌했다. 주말보다 평일이 더 즐거웠다. 퇴근 시간만 바라보던 일상에서 반대로 출근 시간을 기대하게 되는 생활이 이어졌다. 그러다 보니 재하와의 대화에서 생각이 많아지는 말들이 조금씩 생겨나기 시작했다.

"주리님 키가 몇 이예요?"

구내식당에서 함께 점심을 먹고 여느 때와 다름없이 커피 한잔 사 들고 사무실에 복귀하려 카페로 향하던 중 갑자기 재하가 물었다.

"마지막으로 잰 게 167cm였나?"

"에이~ 오 센티 늘린 거 아니고?

"저 키 크거든요. 이거 봐 재하주임하고 조금밖에 차이 안 나잖아."

장난인 걸 알면서도 욱하는 마음에 머리를 들이밀며 그의 코만큼 오는 내 키를 손끝으로 가리켰다. 그는 뻔히 보이는 간격에도 계속해서 장난을 치다가 내가 들으라는 듯 툭 말을 뱉고는 카페 카운터로 달려갔다.

"키 크네. 난 키 큰 여자가 좋아요."

그 툭 꺼낸 마음을 시작으로 재하는 내게 되짚어 생각하게 만드는 말들을 대놓고 던지기 시작했다. 그게 싫지 않았던 나는 매번 장난으로 응수했다. 만나면 작은 설렘을 주는 재하와의 이런 시간이 좋았다. 나의 무미건조한 일상에 색채가 생겨난 것 같았다. 그래서 딱 이정도의 관계면 크게 문제 될 것 같지 않다고 그땐 잘못 판단했다.

"이 반지는 요즘 가장 인기 있는 디자인이예요. 이건 어떠세요?"

눈앞에 스무 개도 넘는 반지가 왔다 간 것 같다. 이게 벌써 두 번째 매장이니 오십여 개나 내 손을 거쳐 가는 중인가. 다 비슷하게 생긴 것 같은데, 세상에 반지도 참 많네. 요즘 젊은 신혼부부들에게 가장 인기 있다는 반지를 잠시 끼웠다가 바로 빼고는 다시 테이블에 올려두었다. 마주하고 있는 손님의 취향을 도저히 모르겠어 더 이상 내오기는 무리라고 생각했는지 직원은 말했다.

"신부님이 원하는 디자인이 따로 있으신가 봐요."

"아…그런 건 아닌데…"

일정을 미리 알고 있었지만, 막상 와서 앉아 있으니 남의 옷을 입고 온 마냥 불편했다. 결혼 준비의 하이라이트는 드레스 샵이지만 그에 못지않게 신나는 공주 놀이를 할 수 있는 반지 투어라고 했다. 공주가 내 적성에 안 맞는 건지, 이 매장이 별로인 건지.

"청담동 쪽에 다른 매장 하나 더 가보자. 거긴 마음에 드는 반지가 있겠지."

남자친구는 연거푸 떨떠름한 반응의 나를 보고는 두 번째 매장에도 물건이 다양하지 않다며 세 번째로 더 큰 매장을 가자 제안했다. 자기 깐에는 앞서 봤던 매장보다 훨씬 비싸고 호화로운 곳으로 가자고 큰 결심을 한 모양이다. 사실 나는 디자인이 중요한 게 아니었고 가격이나 브랜드가 문제가 아니었다. 집에 가고 싶었고 이게 맞나 싶었다.

"주말에 뭐 했어요?"
"그냥 친구 만나고 엄마랑 영화 봤어요."
내가 언제부터 이렇게 사람 얼굴에 대놓고 거짓말을 밥 먹듯이 하는 사람이었던가. 주말 내내 결혼반지를 보러 다녀 놓고는 아닌 척 다른 말을 하고 있다. 별일 없었던 것처럼. 그리고 나에게 오래 만나온 깊은 관계의 남자가 없던 것 마냥. 남자친구에게는 핸드폰을 숨기고, 재하에게는 애인이 있다는 사실을 숨기고 있었다. 처음부터 숨기려던 건 아니었고 단지 말을 안 한 거지. 물어보지 않았으니까. 그런데 시간이 지날수록 물어 볼 까봐 조마조마했고 물어볼 만한 대화는 피했으며 물어보지도 않길 바랬다. 그러면 안 되는 일이었는데, 멈춰야 할 때가 있었는데 멈추지 않았다.

그때의 나는 마치 영화 속 주인공같이 느껴지기도 했다. 마치 어른들이 정해준 애인과 결혼을 약속한 그때 우연히 나타난 낯선 남자와 낭만적인 사랑에 빠져 그와 사랑의 도주를 하는 이야기. 하지만 지금 여긴 현실이고, 도주할 수 없었다. 이미 첫 장부터 지금까지 긴 서사의 남자주인공으로 있던 남자친구. 그리고 중간에 단편 이야기 정도로 등장하는 재하. 이 단편 속 사랑이 메인이 될 수는 없었다. 영화가 아니니까. 결혼을 앞두면 흔히들 그런다고 들었다. 인생에 큰 일을 앞두고 마음이 복잡해서 내가 알던 나 자신이 아닌 일을 벌이기도 한다고. 첫사랑처럼 예전에 정리했던 연인이 생각나 불현듯 마음이 휘몰아치기도 한다고 했다. 내가 설마 그러겠어 싶었다.

정리해야 했다. 그게 지금 내 마음이 원하는 방향이 아니더라도 이 감정은 금방 지워낼 수 있는 짧은 감정이라고 생각했다. 그렇게 여행을 준비했다. 여기에서는 힘들 것 같았다. 얕게 내려 잔뿌리밖에 되지 못한 마음일 뿐이라도 캐서 끄집어내기가 힘들 것 같아서. 장소를 옮겨 생각을 정리하려 한 것이다. 멀리 갈 만큼은 아니었다. 남자친구에게는 친구의 결혼식에 다녀온다고 했다. 피곤한 행사에 동행하는 것을 달가워하지 않는 그는 흔쾌히 조심해서 다녀오라고 했다.

여느 때와 다르게 조용히 내 자리에만 앉아서 업무에 집중했다. 재하가 커피 한잔 사 오자고 휴대전화로 메시지를 보냈고 바로 그걸 보았음에도 한참 지난 뒤에 메시지 온 걸 늦게 봤다고, 처리해야 할 일이 많아 어렵다고 답장했다. 팀장님은 갑작스레 이틀이나 휴가를 내미니 무슨 일 있냐며 놀라는 눈빛을 보였고 나는 집안일이 있다고 적당히 둘러댔다. 연차 승인을 받고 이틀의 부재를 위해 부단히 일을 마무리지었다. 여섯 시 직전 가까스로 일을 정리하고 예매 앱을 켰다. 내일 오전 8시 30분 제주행 비행기 발권 완료. 간단히 숙소 예약도 마쳤다. 예약된 내용에 문제는 없나 체크하는 와중에 직원들이 하나씩 퇴근하기 시작했다. 재하는 같이 나서려 나를 보고 있었고, 그 시선을 느끼며 모른 척 괜히 가방을 싸는 척 늦장을 피웠다. 그는 먼저 퇴근했고 나는 일부러 더 시간을 한참 보내다 사무실을 나왔다.

'그래 잘한 거야. 잠깐 기분 나쁘고 말겠지. 더 여지를 주면 안 되는 거잖아.'

씁쓸하지만 잘했다고 스스로를 다독이며 건물을 나왔다. 오늘 이렇게 지나고 내일 그리고 모레만 지나면 나도 어느 정도 정리가 되어 있을 거야. 되길 바라 야지. 주절주절 쓸데없는 혼잣말을 하며 걷다 지하철역 앞에 다다랐을 때 익숙한 실루엣이 보였다. 재하가 서 있었다.

"나 기다리고 있었어요?"

가만히 기다려도 그가 먼저 말 걸었을 텐데. 놀란 나머지 앞서 했던 행동에 일관성도 없이 내 입이 먼저 방정을 부렸다.

"주리님 왜 이렇게 늦게 나왔어요. 그래도 뭐, 그 덕분에 서프라이즈 되고 좋네."

재하가 가방에서 쇼핑백 하나를 꺼내어 내게 건네주었다.

"이게 뭔데요?"

"이거 주려고 기다렸어요. 일 있어 연차 낸 것 같아서. 오늘 아니면 다음 주에나 줘야 하는 데 너무 멀잖아요. 어떻게 참아."

그가 준 봉투는 제법 묵직했는데 선물 받아 좋다고 냉큼 열어 보긴 좀 그래서 테이프가 붙어있지 않은 틈으로 살짝 보았다. 붉은색 인형이 들어있었다.

"랏소예요. 걔 좋아한다고 했잖아요.

재하는 본인이 못 참겠다는 듯이 내가 열어 보길 기다리지 않고 바로 봉투 속 선물이 무엇인지 말해주었다.

"저번에 토이스토리 얘기할 때 그땐 아는 척했는데, 내가 사실 그걸 안 봤거든요. 그래서 쉬는 날마다 1편부터 정주행했어요. 좋아한다고 한 그 캐릭터는 언제 나오나 한참을 보는데 2편에서도 안 보여서 못 참고 도대체 몇 편에 나오는지 물어보려 전화할 뻔했다니까요. 근데 그럼 내가 안 본 티가 나잖아. 그래서 끝까지 봤어요. 3편에 나오더라고. 보니까 그 편은 왜 특히 좋아한다고 했는지 알 것 같아요. 나도 살짝 눈물이 찡했어."

순간 이 사람이 이렇게 한 호흡에 많은 말을 할 수 있는 사람이었나 귀를 의심했다. 잠깐 출근길에 같이 걸을 때였나, 아니면 커피 마실 때였나. 어디서였는지는 기억이 안 나지만 아무튼 같이 얘기한 적이 있었다. 내가 좋아하는 애니메이션 영화이고, 그 안에 등장하는 곰 인형 캐릭터를 좋아한다고. 디즈니랜드 여행을 갔을 때 그 아이를 사 오지 못한 게 너무 아쉬웠다고도 말했었다. 그리고 알고 있었다. 그는 이 영화를 모른다는 것을. 캐릭터 이름을 하나도 모르니 당연히 티가 났다. 최대한 아는 척 대화를 따라오는 모습이 귀여워 그 순간만큼은 기억이 났다. 정말로 영화를 다 보고 왔는지 오늘의 그는 딸기 향 나는 곰 인형의 이름을 알고 있었고, 어느 부분에서 나왔는지 어떤 역할인지까지 정확하게 알고 있었다. 그리고 이 인형을 사기 위해 많은 검색을 했다고, 발품도 팔았고 제일 예쁘게 생긴 아이로 데려왔다며 내 앞에서 웃고 있었다. 그동안 내가 좋아하는 영화를 공부하고 선물을 준비하면서 얼마나 설레는 기대감에 부풀어 있었는지, 또 얼마나 오늘 하루 이 얘기를 하고 싶었는 지. 말로 더 설명하지 않아도 그 맑고 행복하게 웃고 있는 표정이 다 알려주었다. 오 분 전까지만 해도 더는 여지를 주지 말아야지 굳게 다짐했는데, 사랑스럽고 다정한 이 남자의 마음에 머리가 멈춘 듯 무너져 내렸다.

"내일 나 제주도에 가요."

"누구랑요?

"혼자 가요."

"네? 왜요?"

"나 사실 남자친구 있어요."

"알고 있어요."

"알고 있었어요? 언제부터요?"

"일찍 알았어요."

"말 못 해서 미안해요. 처음부터 숨기려고 한 건 아닌데…"

"일부러 안 물어봤어요. 남자친구랑 휴가 보내는 줄 알았는데 아니라서 다행이네요 나한테는."

"나랑 같이 가요. 그래도 괜찮다면."

렌터카에 타자마자 무슨 일 있는 사람처럼 휴대전화만 쳐다보며 한참 눈썹을 찡그리고 있다. 고민도 없이 따라왔지만, 막상 제주도에 도착하니 후회가 되는 걸까. 조심스럽게 재하의 눈치를 보던 와중에 이내 스피커에서 음악이 흘러나온다. 너무도 익숙한 그 멜로디와 가사가 들린다.

떠나요 둘이서
모든 것 훌훌 버리고
제주도 푸른 밤 그 별 아래
이제는 더 이상 얽매이긴 우리 싫어요

"겨우 연결했네! 노래 들으면서 가요 우리."

여기 왔으니 이 노래부터 들어야 한다고 비행기 탑승할 때부터 생각하고 있었단다. 언젠가 제주도에 간다면 이 노래를 꼭 들어보고 싶었다고, 멋지게 한 번에 연결해서 기분 내고 싶었는데 낯선 차에 타니 마음처럼 되질 않아 순간 뒤통수에 땀이 바짝 났었다고 했다. 난 또 무슨 심각한 생각 중이라고. 어젯밤 이후 설명하기 어려운 어색함이 살짝 감돌았는데 이런 그의 행동에 가벼운 웃음이 돌아왔다.

해안도로에 들어서면서부터 재하는 얼른 차에서 내리고 싶어 했다. 시내에서는 보이지 않았던 이 푸른 풍경이 창밖으로 펼쳐지자마자 음악에 볼륨을 올렸다. 내가 좋아하는 그 코 아래 신난 입꼬리도 보였다. 나보다 더 여길 오고 싶었던 사람이 따로 있었네 싶어 안심의 미소가 지어졌다. 잠시 멈춰 세울 줄 알았던 차는 계속 달렸다. 이어진 도로에서 얼마 안 가 등장한 해변도 그는 감탄사만 내뱉고 지나쳤다. 그리고 한 참 더 가서 멈춘 이곳, 월정리 해수욕장.

"잠깐 여기서 바다 보고 가요."

오래 앉아 굳어진 몸을 펼쳐 기지개를 켰다. 높은 하늘과 청록빛의 바다 그리고 아이보리 색의 백사장이 눈앞에 펼쳐졌다. 부서지는 파도 하나 없이 잔잔해 푸른 바다가 마치 고속도로 같이 보였다. 그 시원한 그림을 보고 있으니 이륙할 때 미처 꺼지지 않았던 잡념들이 이제서야 제대로 오프 된 것 같았다. 겨울 바다라 사람이 거의 없었지만 12월 초인 날짜가 무색하게 가을 날씨처럼 따뜻했다.

"다른 바다도 예쁘던데 왜 여기예요?"

"그냥요, 검색해서 제일 먼저 나왔달까?"

진짜 이유가 무엇인지 숨기는 듯한 장난스러운 재하의 대답이 귀여웠다. 에메랄드빛 해변을 가까이 감상하려 바닷가 방향으로 함께 걸었다. 나란히 몇 걸음 걷던 그가 주머니에 있던 내 손을 빼내어 잡았다. 순간 나의 얼굴이 붉어지는 듯 열기가 느껴져 얼굴을 들지 못하고 잡힌 손을 바라본 채 말했다.

"아니 갑자기 손을 잡고 그래요… 이렇게 급."

"여기 오길 잘했다는 생각이 들어서요."

오길 잘했다는 재하의 말에 괜히 가슴이 두근거렸다. 덩달아 빠른 속도로 열이 올라가는 간지러운 귀의 존재도 느껴졌다. 붉고 못난 내 얼굴을 들키고 싶지 않았기에 손을 빼내려 꿈틀거렸다. 그러자 그는 빠져나가려는 내 손가락을 펴 아예 깍지를 끼워버렸다. 조금 전보다 더 꽉 잡고 걸었다.

"여기에서는 이게 더 자연스러울 것 같은데."

"여기가 왜…"

무슨 말인가 싶어 주변을 둘러봤다. 바다 앞에서 함께 사진을 찍는 부부, 모래사장에 서로의 이름을 새기는 젊은 커플, 카페에서 놓아둔 벤치에 앉아 커피를 마시는 남녀. 눈에 담긴 모두가 연인이었고, 조금 전 그의 말이 무척 설득력 있게 와닿았다. 재하는 걷던 발을 멈추더니 나를 보며 다시 한번 말했다.

"딱 이틀만, 연인처럼 지내요."

솔깃하면서도 마음이 무거워 동공이 흔들리는 말이었다.

"이틀…"

한숨 반 고민 반으로 시선을 내려 대답하는 나에게 재하는 바로 또 말을 이었다.

"그 정도는 괜찮지 않을까요? 여기에서라면."

그 해변에 있는 모두 눈앞의 사랑하는 사람만 보고 있었다. 주변에 다른 사람은 보이지 않았다. 다른 아무것도 보지 않았다. 이곳 이 시간에 마주한 서로가 중요했다. 서울이 아니니까. 우리를 아는 사람 하나 없는 이 제주도라면 나도 그럴 수 있을 것 같았다. 묘하게 수긍이 되는 이 월정리의 분위기에 녹아들고 싶어, 그렇게 손을 잡은 채 앞으로 갔다.

해변 건너 돌담이 쌓인 길로 들어가니 분위기 좋은 카페가 등장했다. 흰 벽돌로 둘러 싸인 외관에 하얗게 페인트칠이 된 문, 유리창 안으로 따뜻한 조명의 내부가 보였다. 바닷가 근처엔 예쁜 곳이 많겠다 싶어서 따로 찾아보지 않았는데 생각 이상으로 예쁜 가게였다.

"여기 브런치가 맛있고, 분위기도 좋대요."

"어? 알고 온 거예요?"

"들어와 봐요. 채광도 좋을걸요."

재하는 내 손을 잡아끌어 안으로 데리고 들어갔다. 화이트 톤의 밝은 분위기에 밖에선 보이지 않던 더 커다란 유리창으로 기분 좋은 햇빛이 가득 들어왔다. 벽면의 콘솔 위에는 귀여운 소품들이, 선반에는 색감 진한 커피잔들이 장식되어 있었다. 홀에는 테이블이 네 개 정도 되었는데, 그중 하나는 큰 유리창 앞에 있으면서 그 자리만 아이보리빛 자개 조각들로 이루어진 샹들리에가 있었다. 누가 봐도 가장 좋은 자리처럼 보이는 그 테이블로 그는 나를 데려갔다.

"어떻게 찾았어요? 완전히 내 취향 저격인데."

미소가 떠나지 않는 내 입이 물었다.

"우리 카페 얘기 많이 했잖아요."

어디 메모를 해둔 것처럼 재하는 내가 좋아한다고 했던 분위기를 어느 한 개 빠짐 없이 꺼내 읊었다. 입꼬리는 올라간 채 연신 두리번거리며 이곳저곳 살펴보는 중인 나를 그는 가만히 지켜보았고, 준비한 계획에 성공한 그는 스스로도 뿌듯하고 대견한지 어깨에 힘을 딱 주었다.

"맞아요. 그래서 여기 때문에 월정리로 왔구나."

이제야 이해가 간다는 나의 말에 재하는 몸을 앞으로 내밀며 마치 비밀 이야기를 꺼내듯 소곤소곤 말했다.

"월정리가 '달이 머문다' 라는 뜻이래요. 뭔가 우리에게 의미도 있는 것 같죠?"

"사실 정리하려고 한 건데, 머무른다니 묘하네요."

나름 준비해서 의미 있게 꺼낸 본인의 뜻을 몰라주는 나에게 서운했는지 재하는 등을 다시 의자에 기댔다. 그러고는 내 대답에 이상한 분위기로 흐르지 못하도록 바로 화제를 돌렸다.

"아무튼 여기가 그렇게 맛있다고 했어요. 음식 나오면 눈 똥그래질 걸요."

말이 끝나기 무섭게 나온 우리의 메뉴. 두꺼운 식빵으로 노랗게 구워진 프렌치토스트에 딸기와 샤인 머스켓, 키위가 넘칠 듯이 잔뜩 올라와 있다. 가장자리로는 꿀과 과일 조각들 그리고 수제 잼이 놓여 있었다. 그가 고른 영롱한 빛깔의 한라봉 에이드와 나의 아메리카노 한 잔. 이 햇살 가득한 공간이 어떤 각도로 사진을 찍어도 예뻤다. 테이블에 놓인 화사한 꽃을 담은 화병까지 그 흥분되는 결과물에 한 몫을 했다. 카페 안에는 '찰칵' 나의 셔터음 소리와 '대박'이라는 말만 반복하는 내 목소리만 떠다니고 있었다. 더는 웃음을 참기 어려웠는지 깔깔 웃으며 재하가 말했다.

"그렇게 좋아요? 배고픈 것도 잊고. 꼬르륵 소리 들리던데."

"아, 진짜?? 나도 모르게 그랬네."

그제야 우리는 서로 포크를 들고 앞에 놓인 브런치를 맛봤다. 자르기도 아깝게 예뻤던 그 프렌치토스트는 입속에서 더 달콤한 감동을 주었다. 곁들이는 딸기와 키위마저 새콤함을 더해 입맛을 돋우었다. 카페의 분위기 그리고 앉아 있는 이 멋진 창가 자리, 맛있는 브런치와 흘러나오는 편안한 재즈 음악. 모든 박자가 아름다웠다. 익숙하면서도 너무 새로운 이 행복한 상황이 놀라웠다. 기쁨과 동시에 서울에서 불편하게 익숙해져 있던 그 상황이 떠 올랐다.

"이게 뭔 데?"

"프렌치토스트라고 내가 좋아하는 메뉴야."

음식이 담긴 모양새에 단 몇 초의 감상도 없이 큰 식빵이 작은 빵으로 나뉘어졌다.

"맛있네."

"사진 좀 찍게 기다리지…"

아쉬워 포크를 들지 못하는 내 모습을 보긴 했을까. 남자친구의 눈은 줄어가는 음식에만 고정되어 있었고, 쉼 없이 본인 접시에 빵조각을 가져갔다.

"진짜 맛있나 보네."

"이거 먹자고 오자고 한 거구나? 맛있는데 멀 긴하다. 두 번 오긴 어렵겠어."

남자친구와 2년을 만났지만 이 사람은 내 관심사를 잘 몰랐다. 카페 가는 것을 좋아한다는 단순한 사실 하나만 알았다. 그조차도 내가 가고 싶은 카페를 내가 직접 찾아 보여주어야 했다. 그래야 움직였다. 본인은 그런 곳에 잘 가본 적이 없어 도통 잘 모르는 사람이라고 했다. 나조차도 당연히 내가 원하는 건 내가 준비해야 한다고 생각했다. 연애 초반에는 이런 부분이 전혀 문제가 아니어서 열심히 내가 골라 즐겨찾기 해두고 일정도 짰다. 2년의 세월 내내 그랬다. 감정이 좋을 때는 그런 그의 성향도 문제가 되지 않던 부분이었다. 하지만 관계가 오래 지속되니 관심사가 서로 맞지 않음이 크게 와닿았다. 취향이 다르더라도 서로 같이 즐겨주면 좋았을 것을. 상대 반응이 그렇다 보니 무언가를 함께하자고 제안하는 일이 점차 줄었다. 지금은 일주일에 한 번 정도 만나면 식사하고, 바로 헤어지기 뭐해 동선에서 가장 가까운 아무 카페에 들어가는 정도. 함께하는 재미는 전혀 없지만 사람이 성실하고 무난해서 헤어지지 않았다. 어른들은 그런 사람하고 살아야 한다고 했다.

"진짜 좋아요. 이런 곳에 날 데리고 와준 게."
좋지 않았던 기억을 잠시 회상하다 마주 앉은 재하에게 진심으로 고마운 마음이 들었다. 눈물이 찡해 코가 저렸다.

"이거 어때요?"
재하가 작은 감귤 모양의 머리핀을 들고 와서는 내 머리에 대어 보고 있다.
"애들도 아니고 핀을 어떻게 하고 다녀요."
"아 그런가? 역시 묶는 끈이 낫겠죠?"
그는 이미 다른 한 손에 머리끈을 들고 있었다. 탁구공만 한 감귤에 초록색 잎까지 달린 머리 고무줄을 해보라고 나에게 들이민다.
"아니 이걸 어떻게 해요."
말은 이렇게 하면서 늘어뜨렸던 긴 머리를 손으로 모아 올린다.

"이쁘네. 완전 귀엽구만."

애가 아니라서 못하겠다던 그 장식이 지금 내 머리 위에 있었다. 좋다고 이쁘다고 추켜세우는 이 남자. 웃고 있는 모습이 날 놀리는 것 같은데 그 놀림을 기꺼이 당하고 싶었다. 아기자기한 것들을 구경하는 게 이렇게까지 신나는 일이었나 싶도록 내 모습이 낯설 만큼 너무 즐겁게 웃는다. 볼이 얼얼할 정도로.

"자꾸 그러면 나 진짜 하고 다닌다."

"너무 좋지. 내가 선물 해 줄게요."

"아니야 이건 못하고 다닐 것 같아 창피해."

"아쉽네. 그럼 다른 거."

소품샵 구경하러 가보고 싶다고 말하자마자 지도 앱을 열어 가장 가까운 여길 찾아냈다. 한라산 모양 비누, 해녀 모양 브로치, 당근 같은 볼펜, 제주도를 상징하는 각종 스티커까지 귀여운 수많은 것들이 한데 모여 있었다. 천천히 눈에 드는 것 하나씩 살펴볼 때마다 재하는 내 옆에 딱 붙어서 같이 이야기했다. 내 손에 들려진 것을 보다 가도 나를 쳐다보고 있는 듯한 시선이 느껴지기도 했다. 구경하다 보면 자연스레 몇 걸음 앞서갈 수도 있었을 텐데 그는 계속 나와 같은 속도로 있었다. 그렇게 옆에 서 있어 주는 게 좋았다. 다른 사람들이 쉽게 누리는 것처럼 보이던 이 알콩달콩한 데이트. 예전에 나름 시도해 본 적 있었으나 잘되지 않았다. 별것 아닌 것 같지만 나에겐 어려웠다. 나와 스텝을 맞추어 달라는 것을 섬세하게 요구하기도 수용하기도 어려웠던 건지. 그런데 이 남자는 마치 내 마음을 읽는 듯했다.

"이 케이스는 어때요?"

카운터 앞 회전 장식대에 걸린 노란색을 가리키며 재하가 말했다.

"휴대폰 케이스요?"

"지금 끼고 있는 거 좀 오래됐잖아요. 새로 바꿔요."

재하가 기어코 찾아낸 선물이었다. 이곳에서의 추억을 어떻게든 남겨두고 싶은 그의 마음. 이 시간을 잊지 않고 떠올릴 수 있게끔 항상 보이는 것으로 고르고 싶었다고 했다. 아직은 연인의 시간이 남았기에 나는 선물을 받았다. 그리고 바로 그의 앞에서 휴대전화에 끼웠다. 내가 끼고 있는 이 케이스가 오래되어 보여 생각하고 있었다는 말도 좋았다. 서울에 있을 그 사람과 있을 때는 의미 없던 이 작은 것도, 재하는 큰 의미를 주었다.

'이렇게 끼워두면 계속 보일 텐데…'

결국 돌아가서도 난 이 남자를 밀어낼 수가 없겠구나 생각했다.

"경로를 다시 탐색합니다."

앞서 한 번 잘못 들어선 골목길 때문에 영 다른 곳으로 가는 중인 것 같다. 다시 탐색 되어 나온 길을 따라가는 중인데도 목적지 근처의 느낌이 오지 않는다. 큰 길로만 이동하면 좋았을 걸 지름길이라고 선택했던 게 잘못이었다. 조금 더 서둘러 나올 것을 그랬다. 여기 한 곳을 꼭 보고 싶어서 공항 가기 전 마지막 일정으로 끼워 넣었다. 동선이 비효율적으로 멀어 포기했던 곳이라 나는 다른 제주 여행 때처럼 이번에도 다음을 기약하려 했다. 그런 나의 말을 들은 재하가 무조건 가자고 했다. 항상 못 가본 거길 자기와 꼭 가보자고 말했다. 그래서 여유로운 조식도 포기하고 아침 일찍 서둘러 나왔다.

"조금씩 가까워지는 것 같아요."

재하는 본인의 제안에 출발했지만, 시간이 촉박해지는 것이 불안한 모양이었다. 새로운 길에 들어설 때마다 그는 나를 안심시키듯 가까워지는 중이라고 말했다. 그렇게 이 길 저 길 들어서다 어느덧 내비게이션은 목적지가 3km 이내에 있다고 했다. 지도상으로 거의 다 온 것 같다. 의아했지만 안내해 주는 경로대로 유턴에 가까운 큰 좌회전을 했다. 갑자기 마주한 2차로의 직선 도로. 여태 온 길과는 느낌이 사뭇 다르게 큰 도로도 골목길도 아닌 길이었다. 심지어 오가는 사람이나 앞뒤에 다른 차도 없었다. 룸미러로 지나온 길을 잠시 보다 정면을 응시하자 믿기지 않는 풍경이 등장했다. 아무도 없는 그 긴 도로 끝에 새파란 바다가 있었다. 바다로 향하는 이 길의 양쪽 가장자리에는 노란 유채꽃이 끝도 없이 피어있었다. 그리고 그 뒷줄에는 가로수처럼 큰 나무가 연이어 있어 이 길을 더욱 곧게 뻗어 나가 보이게 했다. 유난히 따뜻하게 내려오는 아침의 환한 햇살마저 아름다웠다. 모든 게 마치 마법처럼 우리 앞에 열린 비밀의 길 같았다. 이 신비로운 제주도의 그림을 피부로 느껴보려 창문을 열었다. 새벽의 여운이 아직 떠나지 않은 듯 촉촉하고 시원한 아침 바람이 차 안을 감쌌다. 어느새 가까워진 푸른 바다의 공기가 피부에 닿자 우리는 서로를 쳐다봤다. 이 순간에 벅차오르는 감동을 설명하기 어렵다는 나의 표정과 그의 눈빛. 시간이 멈춘 것 같았다. 우리는 그렇게 바라보며 동일한 감정을 느끼고 있었다.

　"이번엔 도착해서 헤어져야 되네요."

　여태 입을 열지 않던 재하가 힘겹게 말을 꺼냈다. 두 사람 다 공항에 도착하고부터 급격히 말수가 줄었다. 서울행 승객들이 모두 들어가고 아무도 남아있지 않았을 때 우리는 마지막으로 탑승 게이트에 들어갔다. 누구 하나 늦게 들어가자고 말한 적 없었는데, 이 시간이 끝나는 게 아쉬워 그렇게라도 붙잡으려 한 걸지도.

　이륙하는 창문 밖으로 제주의 모습이 점점 작아진다. 이 비행이 끝나 서울에 도착하면 우리는 일상으로 돌아가야 한다. 이틀의 연인 놀이가 이렇게 빨리 끝날 줄, 이렇게 속상하고 아쉬울 줄 몰랐다. 하루 전 비행기 안에서만 해도 전혀 예상하지 못했던 시간들. 도착하면 헤어진다는 재하의 말이 실제로 이별을 통보받은 것처럼 가슴이 미어졌다. 고작 이틀이었는데.

　이 짧고 강렬했던 시간이 과연 2년이라는 긴 시간보다도 더 큰 의미가 될 수 있는 것일까. 지난 시간 서울의 그 사람과 만들어온 믿음 그리고 앞으로의 약속을 배신 할 만큼의 가치가 있는 일일까. 나와는 여러 부분 맞지 않는 남자친구라도 주변인들의 기대와 함께 나름의 쌓아온 시간이 있었다. 긴 시간 지어 완공을 앞둔 건물을 부수고 새로운 건물을 짓겠다는 선택과 다름없었다. 굳이 다 지은 건물을 무너뜨리라는 사람이 있기나 할까. 그동안의 시간과 비용 여러 가지 쏟아부어진 자원의 손해를 쉽게 생각할 수는 없다. 설령 그 건물에 하자가 있더라도 과감히 철거를 선택할 수 있는 사람이 과연 얼마나 될 까. 나는 그런 용기가 있는 사람일까. 그런 선택을 이해해 줄 사람이 얼마나 되겠는가. 남자친구와 같이 지내온 기간이 긴 만큼 그것이 뻔할지라도 그려지는 미래가 있다. 하지만 지금의 재하를 선택한다면 예상되는 미래가 아직은 없다. 괜한 모험을 하는 거라면 어찌해야 할까. 그 결과가 해피엔딩이 아닐 수도 있으니까 말이다.

그렇지만 아무렇지 않게 내 삶으로 돌아갈 수 있을까. 서울의 남자친구와 다시 결혼을 준비하며 떠오르는 재하의 생각을 떨칠 수 있을까. 사무실에서 마주하는 재하를 못 본 척할 수 있을까. 아무 일도 없었던 것처럼. 우리가 바라본 그 풍경과 바람을 잊을 수 있을까. 사무실에 마주 앉아 일을 하는 시간 동안 월정리의 그 창가 자리를 기억하지 않을 수 있을까. 마법 같던 그 길 위 멈춰진 시간 속에 서로의 얼굴을 바라보던 그때의 그 공기를 잊을 수나 있을까. 잡고 있던 서로의 손, 그 온도를 무시 한 채 갈라져 각자의 길로 갈 수 있을까. 절대 뒤돌아보지 않고 그 길로 앞으로만.

후회할 것 같다. 돌아보고 싶어질 것 같다. 내 마음은 이미 이 여행의 출발 전으로는 돌아갈 수 없게 된 것 같았다.

진짜 나의 연애를 뒤로하고 낯선 곳에서 시작했던 가짜 연애. 시간이 갈수록 이 가짜 연애가 진짜가 되었으면 하는 생각이 점점 커졌다. 재하를 더 먼저 만났더라면, 이게 원래 내 연애였다면 싶은 마음마저 들었다. 남자친구에게 응답받지 못하는 여러 가지 마음의 결핍을 흘러넘치게 채워주는 재하라는 사람.

그와 있을 때는 다른 아무런 생각도 나지 않았다. 나를 숨길 필요도 없었고 그대로 드러낼 수 있었다. 그는 내가 잊고 지낸 좋아하는 것들을 누구의 눈치도 보지 않고 선택할 수 있게 해주었다. 그런 시간을 항상 만들어 주었고, 그 속에서 온전히 즐기는 내 모습을 끌어내 주었다. 잊었던 내 색깔에 빛을 비추어 본래의 빛깔을 드러내 준 사람. 그와 있을 때면 나는 새롭게 태어나는 듯했다. 내게 이런 생기가 있었나, 내게 또 이런 색깔도 있었나 하며 나조차 감탄했다. 지난 시간 내가 어리석어 중요한 줄 모르고 지켜오지 못한 나의 것들. 어찌하여 난 그것을 잊었을까? 남은 시간까지 누군가에게 맞추며 나를 잃으며 살아갈 수는 없다. 내 빛을 잃어버려서는 안 되는 일이었다.

나를 나답게 만들어 주는 사람, 그게 재하였다.

만약 그 쌓아 놓은 건물을 부수고 다시 짓는 것이 더 큰 건물을 짓기 위한 선택이라면 어떨까. 기존의 건물이 내가 아닌 나의 모습으로 지어 올린 것이라면. 나의 많은 것들을 잃어버린 채 쌓은 허울만 있는 건물이라면. 세상에 맞추려, 보이는 시선에 맞추려 그렇게 만들어진 것이라면. 잘못 지은 것을 과감하게 무너뜨려 버리고 그 자리에 제대로 된 건축을 시작하는 게 맞지 않을까. 온전한 내 안의 나로, 나의 색깔을 입히고 행복을 위해 짓는 튼튼하고 아름다운 건물. 철거의 그 순간 나를 바라보는 시선이 모두 걱정뿐일지라도, 이내 견고하게 다시 만들어진 진실한 결과물을 보며 이해할 수 있지 않을까. 잘 했다고 박수를 받을 수도 있지 않을까. 무엇보다 나 스스로에게 후회 없는 결과가 될 수 있을 것 같았다. 어느 누구도 알 수 없고, 알려줄 수 없는 미래.

그 이틀을, 그리고 내 마음을 믿고 가보는 것은 어떨까.

끝없는 가지로 뻗어나가던 생각들이 순식간에 고요해졌다. 머리는 차갑게 식었지만, 가슴에 뜨거운 무언가 솟아오르고 있었다. 흐릿했던 여러 갈래가 하나의 선으로 뚜렷하게 그려졌다. 확신이 없어 생겼던 두려움은 이제 없었다. 날 이해하지 못할 차가운 눈빛들도 버텨낼 수 있을 것 같다. 그 모든 것들을 감당할 만한 목적이 이제는 분명했다.

서울에 도착했다. 내려야 하는 기내에서 두 사람 다 아직 일어나지 않고 있다. 맨 뒤 좌석의 승객이 나오자, 우리도 일어나서 천천히 걸어나간다. 재하의 아쉬움의 시선이 계속 뒤로 머물렀다. 아무렇지 않게 돌아가야 한다는 그의 마음도 무척이나 속상하겠지. 앞서 걷는 재하의 뒤에서 내가 그의 손을 잡았다. 그리고 말했다.

"나를 기다려 줄 수 있어요?"

무슨 말인지 의아한 재하는 나를 빤히 바라보았다.

"정리하고 올게요. 오래 기다리게는 안 해요."

부탁하는 미안한 말을 단호하게 건넸다. 스스로에게 약속하는 것처럼. 그리고 걱정하지 말라는 듯 나는 웃으며 그의 손에 잠시 깍지를 끼웠다가 내려놓았다.

재하도 미소를 지으며 손을 놓았다.

단편이었던 그 이야기가 메인으로 나오고 있었다.

나는 몸치 음치가 아닌 '문치'

원주연

원주연　　내게 '난독증'이 있음을 모르고 반백 년을 살았다. 공부를 못해도, 책을 안 읽어도 상상력은 풍부했다. 플루트를 전공했지만, 지금은 그림을 그리고 있다. 누구의 발자취보다 내 발로 밟고 두드리는 것을 더 좋아한다. 창작의 기쁨에 '난독증'을 얹으니 천재가 된 기분이다. 레오나르도 다빈치, 파블로 피카소도 난독증을 앓았다고 하니 엄청나게 위로가 된다.

인스타그램 : @joo_1.701

몸의 움직임이 둔탁한 사람을 '몸치'라고 하고 음의 높낮이가 부정확한 사람을 '음치'라고 한다. 우리같이 난독증이 있는 사람도 이들처럼 글자 보기가 서투른 '문치'이다. 하지만 사람들의 시선은 전자와는 비교도 안 될 만큼 싸늘하고 냉소적이다.

난독증(dyslexia)의 어원은 'dys(서툰) + lexia(읽기)'로 된 그리스어다. 음소의 나눔이 서툰 사람들은 음운 인식의 구별이 안 된다. 예를 들어 보통 사람은 '곰'이라는 말을 들으면 ㄱ, ㅗ, ㅁ 3개의 음소를 기반으로 글자를 음성으로 바꿔 그 의미를 떠올린다. 그런데 난독증에 시달리는 사람은 음소 구분이 어렵다. 이를 '음운론적 취약성'이라 하는데, 정보처리 과정에서 원인을 찾을 수 있다. 전체 인구의 5~10%가 난독증을 앓고 있으며 일란성 쌍생아의 경우 둘 모두의 경우는 70%이다. 가족력에 영향을 많이 받으며 신경 체계의 문제라는 연구 결과다.

나는 50살이 넘어서야 내게 '난독증'이 있음을 알아차렸다. 영화계의 거장이라고 불리는 스티븐 스필버그도 60세가 되어서야 "내 삶에 미스터리가 이제야 풀렸다"라며 자신의 난독증을 토로했다. 난독증은 본인도, 가족도, 교사도 원인을 모른 채 지나갈 수 있다. 난독증이 있는 사람들은 종종 어려움을 극복하기 위해 스스로 전략을 만들어 낸다. 이러한 적응 전략은 난독증의 징후를 감출 수 있다고 전문가는 말한다. 사람들의 무지, 인식 부족과 시설과 교육의 누락으로 인해 많은 사람이 증세를 가지고 있지만 그 이유를 정확히 모른 채 지나간다.

어린 시절 나는 책을 펼칠 때마다 전쟁을 치러야 했다. 한 단어, 한 문장과의 싸움은 끝없는 전투와 같았다. 하지만 글자들과의 싸움에서 매번 패배했고 그 패배감은 무력감과 상실감으로 이어졌다. 글자들은 나를 비웃으며 이리저리 뛰어다녔고 조롱하듯 춤을 추었다. 왜 글자들이 나를 괴롭히는지 알 수 없었다. 내 안에서 끓어오르는 분노는 나를 더욱 외롭게 만들었고 몸과 마음은 너덜너덜 지쳐만 갔다.

책을 보며 친구들은 웃고 즐거워할 때 나는 그 웃음소리에 섞이지 못했다. 선생님이 칠판에 글씨를 쓸 때면 낱말들은 쓰나미가 되어 나를 덮쳤고 마치 파도에 휩쓸리듯 나는 글자들에 의해 밀려났다. 허우적대는 문장들을 구해보려고 시간과 노력을 쏟아부어 봤지만, 낱말들은 흩날리는 모래알처럼 손가락 사이로 빠져나갔고 활자들은 길을 찾지 못해 미로 속에서 방황했다. 나의 슬픔은 단순한 감정이 아니었다. 존재를 부정당하는 것 같았다. 사람들에게 나의 힘듦을 알아달라고,

도와달라고 소리쳐 보았지만, 나의 외침은 그저 무력한 한 아이의 투정에 불과했다.

나도 다른 형제들처럼 부모에게 사랑받고 선생님에게 인정받고 싶었다. 하지만 어른들은 이런 나에게 공부하기 싫어서 딴전 피운다며 야단을 쳤다. 저항감은 때때로 자생하기 위해 몸부림친다. 채워지지 않은 결핍은 꿈의 자산이 되기도 한다. 존재에 대한 나의 열망은 저 너머의 세계를 갈망하고 또 갈구했다.

나는 삼 남매 중 둘째다. 공부를 월등하게 잘하는 오빠는 처음부터 상대할 수 없는 적이자 벽이었다. 여동생은 순종적이고 착하고 어렸기 때문에 적이라고 할 수도 없는 적이었다. 부모에게 있어 나의 존재는 아픈 손가락일까? 미운 오리 새끼일까? 옥의 티일까? 부모의 기대와 나의 능력은 상충했다. 부모가 만들어 놓은 유토피아에 오빠와 동생은 무사히 안착했지만, 난 행성 주변을 떠돌며 가야 할 곳을 찾지 못해 방황했다. 엄마는 나를 포기할 수 없어 밧줄을 던져주었다. 그것이 '플루트'다. 음악을 하면 대학은 갈 수 있을 거로 생각했다. 그런데 악보의 음표들 역시도 나를 조롱했다. 음표들은 전선에 거꾸로 매달리기도 하고 거친 숨을 몰아쉬기도, 현란하게 꼬리를 치기도 했다. 나는 그들을 쫓아가다가 길을 잃고 또 잃고를 반복했다. 이런 긴장감은 자꾸만 건강에 신호를 보내며 나를 아프게 했다. 공부도 음악도, 어린 내가 감당하기에는 한없이 멀고 복잡하고 험난했다.

초등학교 저학년 때였다. 그날따라 성적표를 받고 집으로 돌아가는 길은 마음이 너무 무거웠다. 고개를 숙이니 사람들의 발이 보였다. 나를 뺀 사람들의 발걸음은 모두 경쾌해 보였다. 그때 결심했다.

'나 하나만 없어지면 돼! 엄마 아빠도 공부 잘하는 자식들이랑만 살면 더 좋을 거야.'

우리 집 옥상으로 올라가 난간에 매달렸다. 그런데 죽으려고 하니까 진짜로 죽을까 봐 무서웠다. 있는 힘껏 팔에 힘을 주고는 바둥대는 다리를 끌어올렸다. 다리는 상처투성이 되었지만 살아있음에 안심했다. 성적표를 부모에게 보일 수 없어 아빠 도장을 훔쳐다가 확인 도장을 찍고는 학교에 제출했다. 며칠 후 아빠는 도장을 내 서랍에서 찾아냈다. 권위적인 아빠였기에 늘 무서웠는데 그날은 더 끔찍했다. 대나무 총채가 부러질 정도로 종아리를 맞았다. 회초리가 지나간 자리에는 송골송골 피가 맺혔고 숨이 꼴딱꼴딱 넘어가면서도 난 울음을 참아야 했다.

내게도 특별한 경험은 있다. 과외선생님 댁에서 10명 정도 지도를 받았는데 한 번은 선생님이 내준 문제를 다 풀어야 집에 갈 수 있다고 했다. 국어, 수학 등 종합적으로 출제가 되었다. 다른 아이들은 30분 정도 걸려 다 풀고 집에 갔는데 나는 2시간이 넘고 3시간이 지나서야 겨우 끝낼 수 있었다. 선생님은 그 자리에서 채점했다. 친구들은 여러 문제를 틀렸는데 나만 백 점을 맞았다. 놀라웠다. 내가 공부를 제일 못했기 때문이다. 아니 성적이 제일 나빴기 때문이다. 시간이 조금만 더 주어진다면 난 잘할 수 있는 아이였다. 그때의 기쁨과 벅차오름은 사진을 찍듯이 선명하게 머릿속에 남아있다. 하지만 학창 시절 내내 시간은 나를 기다려 주지 않았다.

3학년 때는 새로 부임한 남자 선생님이 담임을 맡았다. 몸은 마르고 눈매는 날카롭고 목소리에는 짜증이 배어있었다. 전에 있던 학교에서 음악부를 맡았다고 했다. 선생님은 밴드부를 만들었고 반 아이들에게 입단하기를 권했다. 엄마는 반가워하며 내게 플루트를 하라고 했다. 처음으로 플루트를 시작하게 된 동기다. 공부도 어렵고 밴드부도 힘들었지만, 어른들에게 칭찬받는 기회로 삼고 싶었다. 하지만 절대 쉽지 않았다. 더욱 괴로웠던 것은 잊히지 않는 사건이 있었기 때문이다.

점심시간을 이용해서 운동장에서 뛰어놀고 들어오는데, 같은 반 아이가 친구들보고 할 말이 있다며 복도 끝으로 데리고 갔다.

"00엄마가 찾아와 선생님께 돈을 주는 것을 봤다"라고 말했다. 나는 무심코 흘려버렸지만, 소문은 금세 쫙 퍼졌고 담임 귀에도 들어갔다. 선생님은 엄청 화를 내며 소문을 낸 아이들을 색출해 나갔다. 5명 정도 불러냈는데 그 가운데 나도 있었다. 공부 잘하는 아이는 없어 보였다. 담임은 소매를 걷어 올리더니 다짜고짜 칠판에 머리가 부딪칠 정도로 뺨을 때리기 시작했다. 볼은 얼얼했고 머리는 흔들렸고 몸은 휘청였다. 난 영문도 모른 채 맞아야 했다. 무엇을 잘못했는지 생각해 내야 했다. 반성이라도 할 이유가 필요했다. 하지만 글자가 그러하듯, 음표가 그러하듯, 어른들은 이유를 주지 않았다. 그저 난 당해야 했다. 그 후로 담임의 얼굴을 보며 수업을 받는 것도 고통스러웠고 밴드부에서 악기를 연주하는 것도 즐겁지 않았다. 그렇게 오랜 시간 나에

게 글자와 플루트는 위협적인 흉기와도 같았고, 알 수 없는 죄책감만
켜켜이 쌓여갔다.

　음악을 전공하며 참 많이 애썼다. 악보가 구멍이 날 정도로 연필로
박자를 쪼개고 계명을 써가며 연습했다. 잘 외워지지 않는 부분은 머
릿속에 사진을 찍어 이미지를 만들었다. 코피가 흐르는데도 악기를
불고 또 불었다. 그 결과 예고도 가고 음대도 갔지만 부모의 기대에는
미치지 못했다. 여전히 다른 형제들과 실력과 학벌에서 차이가 났기
때문이다. 열심히 했는데도 보상을 받을 수 없었다. 형편이 녹녹지 않
은 가운데 음악을 했기 때문에 돈이 많이 들었다. 나는 부모의 기대에

부응하지 못한 대가를 치러야 했다. 장학금을 타고 플루트로 개인레슨, 중학교, 초등학교, 문화센터, 행사장을 다니며 닥치는 대로 돈을 벌었다. 처음으로 부모님은 나를 인정해 주는 것 같았다. 부모의 작은 미소는 억만금을 준다 해도 바꿀 수 없는 가치였다. 그게 뭐라고, 나는 가혹할 정도로 나의 몸을 혹사했다. 숨이 차오르고 가슴이 답답했지만 그때는 몰랐다. 심장이 망가지고 있음을.

나는 심장판막 4개 중 2개가 기계 판막이다. 2003년에 처음 수술을 했고 또다시 악화가 되어 2017년에도 가슴을 열었다. 류머티즘열에 의한 감염으로 어릴 때 발병되었다가 성인이 되어 나타나는 질병이라고 의사는 말했다. 왜 이런 질병이 걸렸을까? 뚜렷한 한 가지 이유를 찾을 수는 없지만 돌아보면 매 순간 난 긴장의 연속이었고 혼날까 봐 두려움 속에 살았다. 지나치게 예민했던 나는 자주 아팠다. 난독증이 없었더라면, 아니 나를 이해해 주는 단 한 명의 어른만 있었더라도 몸이 아팠을까?

난 매일 약을 먹는다. 혈관 안으로 핏덩이가 생기는 것을 방지하기 위해 먹는 항응고제이다. 임신하면 복용이 어렵다. 나는 두 딸을 낳은 이후부터 본격적인 치료를 시작할 수 있었기에 천만다행이다. 두 아이의 엄마로 살아가는 이 벅찬 감동을 하마터면 놓칠뻔했다. 의지할 남편이 있고 대화할 수 있는 딸들이 곁에 있어 지금은 무한한 행복을 느낀다. 심장병으로 인해 역설적으로 심장(마음)은 단단해진 것 같다. 건강의 악화는 나의 부족함을 깨닫게 해주었고 구멍 난 부분을 메꾸어 주었다. 내가 잘할 수 있는 것과 내가 편하게 할 수 있는 것들에 시선을 돌렸다. 계획하지 않은 인생에 새로운 삶도 살아보기로 작정했다. 그림을 그렸다. 오롯이 나만의 창조물을 만들어 내고 소장할 수 있는 기쁨도 따르니 좋았다. 음악은 시간 안에서 강렬한 감동을 안겨 준다면 미술은 잔잔한 물결처럼 가슴안으로 촉촉이 스며들었다. 화가 중에는 난독증을 앓은 사람이 많다고 한다. 감각적인 부분과 창의력에서 두각을 나타내니 분명 타고나는 것은 있는 것 같다.

난 가끔 '동물의 왕국'을 시청한다. 거기서는 어떠한 연기도 각본도 없다. 생태계의 먹이사슬과 먹이그물의 상호작용을 보며 지구의 시스템을 읽는다.

한 번은 기린의 강력한 힘과 빠른 대응에 눈을 떼지 못했다. 포식자인 사자를 상대로 자신을 보호해 내는 과정은 실로 대담했다. 사자가 기린의 뒤쪽에서 공격하려 하자 재빠르게 방어하며 뒷발로 차서 사자를 물리쳤다. 기린의 긴 다리와 발굽은 두개골을 부술 정도로 강력한 힘을 지녔다고 한다. 또한 민첩하게 도망치는 모습도 매력적이었다. 목이 길고 몸집이 커서 잘 달릴 수 있을까? 의심스러웠는데 의외로 빨랐다. 내 눈에는 말보다 더 근사했다. 푸른 들판을 가르며 무리 지어 달리는 모습은 한 편의 서부영화를 보는 듯했다.

기린이 궁금해서 자료를 찾아보았다. 기린의 몸에 그려진 얼룩은 주변 환경으로부터 보호하며 체온 조절에도 도움을 준다고 한다. 어두운색은 햇빛을 흡수하고, 밝은 부분은 햇빛을 반사하여 기린의 몸

전체가 균일한 온도를 유지 하도록 해준다. 또한 기린의 패턴은 지문처럼 다른 기린들과 자신을 구별하는 데 사용된다고 하니 놀랍다. 내가 가장 관심을 가지고 살펴본 것은 '심장'이다. 두꺼운 벽과 높은 압력을 유지할 수 있는 구조로 된 기린의 심장은 11kg 정도의 무게다. 이러한 강력한 심장은 뇌로 충분한 산소와 영양분을 공급한다. 기린이 높은 나무에서 잎을 뜯어 먹으며 포식자로부터 빠르게 도망칠 수 있도록 돕는 역할이다. 기린은 이러한 생리적, 생태적, 사회적 적응을 통해 동물의 왕국에서 성공적으로 살아남았다. 자연의 이치대로, 약육강식대로 온 우주는 섭리대로 돌아간다. 이 땅에 태어나서 내가 살아갈 이유를 동물들에게 묻곤 한다. 조물주가 나의 뇌에 난독증의 뇌를 장착했을 때는 조화로운 사회의 구성원이 되기 위함이지 난독증 없는 사람들에게 밟히기 위함은 아닐 테다. 5%~10%에 이르는 난독증자가 수치심으로 인해 소멸하지 않도록 세상은 큰 틀로 바라봐 주면 좋겠다.

예전에 남편과 크게 싸운 적이 있다. 잠시 떨어져 생각해 보자고 결정한 후, 가깝게 사는 시댁으로 남편은 옮겨갔다. 나는 좀처럼 화가 풀리지 않았다. 이렇게까지 괴로워할 일인가, 냉정하게 생각해 보면 그것도 아닌 것 같은데 답답한 마음은 해결이 되지 않았다. 시아버님이 나를 찾아왔다. 아무 말도 안 하고 소파에 앉아 가만히 기도한 후 이 한마디 남기고 가셨다.

"난 널 며느리로 생각해 본 적이 없어. 넌 내 딸이야."

다음 날도 오셨다. 조용히 기도를 마치고는 나를 바라보며

"미안하다. 내가 아들을 잘못 키웠어. 정말 미안하구나. 용서해 다오" 하셨다.

나는 당황했다. 보통 시부모님이라면 '싸우지 말아라, 애들 보고 참아라, 그깟 일로 남편을 쫓아내냐, 넌 잘했냐?' 등등일 것이다. 아버님의 반응에 가슴이 뜨거워졌고 눈물이 핑 돌았다. 나보고 미안하다고 하신다. 지금껏 단 한 번도 어른의 사과를 받아본 적이 없다. 아버님은 진심이었다. 하지만 아버님은 나에게 미안해할 이유가 하나도 없다. 아내의 마음을 헤아려주지 못한 아들을 대신해 아버님은 진심으로 나에게 사과하고 있다. 나는 어떤 대답도 하지 않았다. 그다음 날도, 그 다음 날도 아버님은 나를 찾아왔고 다른 이야기 없이 미안하다는 말만 되풀이하였다. 나는 마음이 움직였고 남편은 집으로 들어왔다.

시아버님은 6남매 중 첫째이다. 13살에 아버지를 여의고 홀어머니 밑에서 동생들을 돌보며 살았다. 너무 가난했기에 여동생들은 남의 집 식모로 보내졌고, 남동생만은 지키겠다는 일념으로 집안을 이끌어갔다. 중학교를 중퇴 하고는 이 일 저 일 하며 돈을 벌어 동생들을 대학까지 보냈다. 영화 〈국제시장〉에나 나올법한 이야기다. 동생들은 지금까지도 아버지처럼 형님을 따른다. 이러한 사연 때문일까? 우리는 통하는 게 있다. 어떤 위로보다 "고생했다." "미안하다." "얼마나 힘들었냐."라는 말 한마디에 마음이 녹아내린다. 나도 가끔 이와 같은 칭찬을 아버님께 해드리면 어린아이처럼 방긋 웃으며 좋아하신다. 아버님은 내가 그린 기린 티셔츠를 자주 입고 있다. 나의 능력을 인정해주고 지지하고 사랑한다는 아버님의 표현 방식이다. 아버님은 가방끈

이 짧고 나는 문해력이 짧다. 성질이 다른 두 경우지만 활자를 접한 양은 비슷할 것이다. 글과 말로는 표현 못 하는 깊은 유대감이 우리에게는 형성되어 있다. 이런 연결은 서로에게 힘이 되어준다. 시아버지로 인해 지금껏 느껴왔던 어른들을 향한 불신과 원망은 차츰 사그라지고 희석되어 간다.

친정엄마는 친절하고 성실한 사람이다. 친할머니도 좋아했고 시누인 고모들도 칭찬했다. 자식도 예쁘게, 똑똑하게 잘 키운다며 주변 사람들로부터 부러움도 샀다. 그런 엄마였기 때문에 아쉬움이 컸을 거다. 엄마는 나를 보며 속상해했다. '너 때문에 걱정이야'라는 말을 참 많이도 했다. 이 말을 들으며 자책도 하고 우울하기도 했다가 저항하기도, 아프기도 했다. 그런데 내게 난독증이 있음을 인지한 이후부터 엄마를 관찰해 보니 나와 엄마는 참 많이 닮았다. 엄마에게도 '난독증'이 있음을 직감했다. 매사에 무엇이든 잘했던 엄마이지만 두세 페이지 이상 책장을 넘기지는 못했다. 그런데 한자(漢字)에는 능했다. 붓글씨를 써서 전시회도 열었다. 그림처럼 뜻과 소리로 만들어진 한자는 수월했던 모양이다. 생각해 보면 외할아버지에게도 나타났고 엄마의 형제분들 중에도 비슷한 유형이 있다. 그들은 예술성은 뛰어났지만, 말과 글은 서툴렀다. 유전이다. 엄마의 유전자를 물려받았다는 확신이 드는 순간 계속해서 차오르는 기쁨은 나를 향한 더없는 위로이고 깊은 안도감이다. 원인을 알았으니 진단하며 처방만 내리면 된다. 너무 오래 걸렸다. 이제는 더 이상 난독증을 극복하려고 애쓰지 않는

다. 받아들임만으로도 마음이 편해졌다. 나는 틀린 게 아니라 다른 것이고, 집중 못 하는 것이 아니라 시간이 필요한 것이며, 책을 안 읽는 게 아니라 글자라는 감옥에 갇혔을 뿐이다.

나의 작은 딸도 노력에 비해 성적이 잘 나오지 않았다.

"조금만 조금만 시간이 더 있었으면 좋겠어."

시험 볼 때마다 되풀이되는 하소연이다. 흐느껴 울기도 했다. 시험지에 있는 지문을 읽다 보면 시간을 다 써버린다고 했다. 몰라서 못 푼 게 아니라고 했다. 인과관계에 화살표로 표시하고 문법을 하나하나 따지다 보면 금세 종료 벨이 울린다고 했다. 국어뿐 아니라 수학도 과학도 문장을 읽어내는 문해력은 학업에 있어서 필수조건이다. 딸아인 대학에 떨어졌다. 그 후 결심이라도 한 듯 독학 재수학원에 보내달라고 했다. 나는 혼자 공부해도 될까 싶어 걱정은 되었지만 자기의 의지가 너무나 확고했기에 그렇게 하라고 했다. 딸은 책에 집중하기보다는 인터넷 강의에 더 주력했다. 듣고 메모하며 자기 방식대로 공부했다. 지켜보는 나도 안쓰러울 정도로 열심히 하더니만 결국 원하는 대학에 들어갔다. 딸아인 본능적으로 알아차렸던 것 같다. 눈으로 읽는 것 보다 귀로 듣는 게 더 수월하다는 것을. 경중의 차이는 있겠지만 엄마의 유전자를 받았다는 것을.

나는 계속해서 공부한다. '난독증'이란 놈은 좋은 놈일까? 나쁜 놈일까? 이상한 놈일까?

동네에 아담하고 외장이 예쁜 집이 새로 오픈했다. 무엇을 파는 곳인지 곁에서 보기에는 알 수 없어 들어가 보았다. 양탄자와 소품을 파는 가게였다. 알록달록 얼기설기 직조된 모습이 다채로웠다. 단순히 유행을 따르거나 값싸 보이지 않은, 현대적이면서도 고풍스러운 느낌이 멋스러웠다. 조심스럽게 가격을 물어보니 역시나 고가의 금액을 자랑했다. 나중에 돈 모아서 사야지, 생각하며 그냥 나오기에 아쉬워 가게를 더 둘러보았다. 우연일까, 인연일까, 필연일까, 기린과 맞닥뜨렸다. 작은 벽면에 자리한 액자에 담긴 기린 그림이 한눈에 들어왔다. 나는 그림 앞에 한참을 머물렀다. 동물을 저렇게 멋지게 표현할 수 있다니 감탄스러웠다. 이전에 보았던 동물 그림과는 확연히 달랐다. 실험성과 자유로움이 느껴졌고, 과감한 색상에서 풍기는 비정형적인 디자인은 가게 분위기와도 닮아 있었고 나랑도 닮았다. 나와 기린은 양탄자를 타고 순간 날아올랐다. 사진을 찍어도 된다는 주인의 허락을 받고는 집에 돌아와서 따라 그렸다. 그 후로도 사랑에 빠진 것처럼 '기린'이 자꾸만 떠오르고 자꾸만 보고 싶어 견딜 수 없었다.

친구에게 에버랜드에 기린 보러 가자고 졸랐다. 평일 아침이라 사람이 없을 줄 알았다. 날씨가 좋아서인지 관광객이 많아져서인지 외국인도 눈에 띄었고 수학여행 온 학생들, 연인들, 유모차부대, 부모님과 함께 온 사람들도 많았다. 놀이공원 참 오랜만이다. 우리는 동심으로 돌아가 아이처럼, 연인처럼 포즈를 취하기도 하면서 깔깔댔다. 정신없이 놀다가 이곳에 온 목적이자 이유인 '기린'이 떠올랐다. 무작정 달려간 곳은 '사파리월드'이다. 줄이 엄청나게 길었다. 그래도 기린을 볼 수 있다는 기대감으로 기다리고 기다려 2시간 40분 만에 이동 차량에 올라탔다. 호랑이, 사자, 곰을 가까이 보니 신기했고 매우 크고 무섭게 생긴 얼굴에 섬뜩하기까지 했다. 빨리 초식동물을 만나고 싶었다. 그런데 안내방송에서 다 왔다며 내리라고 한다. 알고 보니 기린을 보려면 '사파리월드'가 아닌 '로스트밸리'로 가야 했다. 우리는 허탈한 웃음을 지으며 집으로 향했다. 머리가 나쁘면 몸이 고생한다고, 하지만 나는 집에 돌아와 곰곰이 생각했다.

'다른 뜻이 있을 거야. 다른 길을 찾아야 했던 건지도 몰라'

뭔가 뜻하지 않은 일이 벌어질 때마다 떠올리는 생각이다. 기린을 동물원에서 찾으면 안 되었나? 내게 물었다. 사람들이 쳐논 울타리 안에서 구경꾼이 되어 기린을 훔쳐보는 건 내가 사랑하는 방법이 아니었음을 깨달았다. 정밀하게 관찰하지 않아도 된다. 가까이서 먹이를 주려고 손을 뻗지 않아도 된다. 책장 안에서 활자에 중독되지 않아도 되는 것처럼, 넓고 깊은 상상의 바다에서 기린을 만나고 글자와 대화하다 보면 거친 파도와 비바람 속에서도 보석 같은 의미를 발견할 수 있으리라, 는 믿음이 내 안에서 넘실거렸다.

태블릿 PC로 그림을 그리기 시작했다. 기린은 나와 동행하기를 마다하지 않았다. 카페에서도, 음식점에서도 도서관에서도 기린은 장소를 구분하지 않았고 사람을 차별하지도 않았다. 비 오는 날엔 스티브 잡스를 만났고 햇볕이 쨍쨍한 오후에는 코코 샤넬을 보았으며 먹구름이 낀 우중충한 날씨에도 쿠사마 야요이를 만나 이야기를 나눴다. 힘

세고 키 크고 약자를 괴롭히지 않고 서커스에 팔려 가거나 사람을 등에 태우지도 않는 독립적인 기린은 높은 곳에서 세상을 내려다보아도 결코 깔보거나 조롱하지 않았다. 기린의 심장은 크고 강한 만큼 사랑과 용기도 담고 있다. 기린은 내게 그림을 그리도록 독려했다. 기린은 기꺼이 자기의 심장을 내어주며 힘들었던 시간과 꿈꿔왔던 지난 일들을 화폭에 담아내도록 했다.

이미지로 만들어 낸 세상은 맞춤법 따위는 중요하지 않다. 낱말의 배열이 흐트러져도 그 자체로 멋이 있다. 내 그림을 잘못 읽는 사람이 있다면 그 사람의 생각이 궁금하다. 왜 그런 상상을 했는지 그 사람이 알고 싶지, 틀렸다고 말하지 않는다. 그림은 정답이 없다. 기린과 나는 몸에 그려진 패턴을 퍼즐 삼아 놀이도 하고 뿔을 잡고 날아오르기도 했다. 기린은 코끼리를 삼킨 보아뱀을 삼켰고 여자가 아닌 남자의 알에서 태어나기도 했다. 피카소 무릎에 앉아 백석의 '기린'을 읽고, 벌거벗고 피아노 위에서 춤을 추는 나와 춤을 추는가 하면 지구를 임신한 기린은 양탄자를 타고 날아올랐고, 샤론 스톤이 되어 '원초적 본능'에 출연하기도 했다. 6월의 신부가 된 기린은 나와 결혼했으며, 내 손바닥 위에서 가죽을 벗고 자결했다. 다시 살아난 기린은 벽장 안에 들어가 시체 놀이를 하고 꽃병 속에 몸을 숨기기도 했다. 기린은 종횡무진 부딪히며 튕기며 날아오르고 엎어지고 깨지고 사방을 누리며 활약했다. 이같이 멋진 기린을 만난 것은 난독증으로 인해 생겨난 상상력 때문일 것이다.

　전문가들의 말에 의하면 성공한 기업가 중 약 1/3 정도가 난독증 증세가 있다고 한다. 금융업계의 큰손이자 백악관 경제수장이었던 골드만삭스 게리 콘 회장은 난독증이 가져다준 어릴 적 다양한 실패의 경험 때문에 성공할 수 있었다고 했다. 읽기의 어려움으로 인해 책에서만 답을 찾지 않고 다른 경험을 통해 기회로 바꾼 예이다. 애플의 창업자 스티브 잡스도, 페이스북 창업자 마크 저커버그도 학업에 어려움을 가졌다. 그 외에도 레오나르도 다빈치, 토머스 에디슨, 에이브러햄 링컨, 파블로 피카소, 스티븐 스필버그, 제이미 올리버, 아가사 크리스티, 한스 크리스티안 안데르센, 월트 디즈니, 톰 크루즈 등 특정 영역에서 뛰어난 천재성을 발휘한 난독증을 앓은 사람들이다. 역경을 헤쳐 나가는 내성이 이들에게는 장착되어 있다. 논리를 관장하는 좌뇌가 결핍을 커버하기 위해 우뇌를 발달시키고 잠재력을 깨워 창의성을 만들어 냈다.

　아쉬운 건 이 모두가 외국의 경우다. 한국의 교육은 모든 과목을 골고루 다 잘해야 한다. 국어, 영어, 수학, 과학 등을 비롯하여 전 과목에서 우수한 성적을 거두어야만 성공의 첫걸음인 소위 '일류대학'에 진입할 수 있다. 이런 경쟁 일변도의 교육은 창의력과 상상력 그리고 사회적 가치를 떨어뜨린다. 난독증이 있는 아이들에게 '학습 지진아' '학습 장애인' '학업 부진아'라고 부르기도 한다. 학교에서 낮은 성적을 받거나 교사와 부모, 동료들로부터 부정적인 피드백을 받고 자란 아이들은 자존감이 낮아질 수밖에 없고, 학교 밖으로 밀려날 수밖에 없다. 이해와 지원이 부족한 환경에서 자라난 아이들은 어른이 되어서도 사회에 나가 적응하기가 어렵다.

　우리 같은 '문치'들에게는 마음의 소리가 있다. 반짝이는 눈빛과 굳게 다문 입술은 끝내 이루지 못한 완벽함에 대한 갈망이다. 깨지고 부서진 조각 조각은 빛을 받으면 무지갯빛으로 승화한다. 붉은색은 열정과 용기를, 주황색은 따뜻함과 창의력을, 노란색은 희망과 밝은 미래를, 초록색은 치유와 성장을 상징한다. 파란색은 깊은 슬픔과 고독을 나타내지만, 동시에 평온함을 의미하고 남색은 신비로움과 내면의 힘을 보여주며 보라색은 영감과 꿈을 표현한다. 이처럼 '난독증'은 다양한 색으로 반짝이며 우리의 모습뿐 아니라 세상에 알록달록 희망과 꿈과 협력을 채색한다.

　곧 그림 전시회를 앞두고 있다. 나이와 상관없이 날아오를 것이다. 기린과 함께라면.

불안하면 뭐 어떤가요?

정안(正安)

정안(正安) 말 잘듣는 모범생으로 16년, 성실한 회사원으로 약 13년 도합 30여년
을 정해진 틀에 맞춰 살아왔다. 대학만 잘 가고 취직만 잘 하면 탄탄대
로일 것 같았던 예상과 달리 회사 생활을 통해 얻은건 불안장애였다.
금방 지나갈 것만 같았던 불안장애와 함께한지 8년, 평생 이렇게는 살
수 없다는 생각에 휴직을 결심했다. 불안을 겪는 이 세상 모든 직장인
을 응원하고자 글을 썼다.

사업 기획 부서에서 사장님 보고자료를 작성할 때의 일이었다.

"블루투스에서 쓰이는 기술이 비컨 (Beacon) 맞아? 제발 대답 좀 해라!"

상무님의 소리침에 심장이 미친 듯이 두근대고 머리가 새하얘졌다. 뭐라고 답해야 하지, 틀린 답을 말했다가 더 혼나면 어떡하지. 정신이 점점 아득해지고, 심장이 쪼그라들기 시작했다. 보고서 작성을 시작한 후로 불안이 심해져 하루에 거의 2~3시간도 제대로 자지 못하고 출근한 지 2주가 다 되어가고 있었다. 보고서의 방향을 갓 대리를 단 나에게 물어보는 차장님, 아무것도 모르겠다는 얼굴로 앉아 있는 후배들. 그리고 미친듯이 화를 내는 상무님. 그 속에서 나는 점점 더 불안해졌고, 나 자신을 잃어가고 있었다.

이렇게 불안 속에 만들어진 보고서가 제대로 만들어졌을 리는 만무했다. 사장님 보고 일정을 미룰 수는 없었던 지라 불완전한 보고서를 가지고 보고를 시작했다. 사장님은 화만 내지 않았을 뿐 다시 보고를 준비하라는 취지의 피드백을 남기고 보고가 마무리되었다. 모든 게 내 탓인 것만 같았다. 쥐뿔 능력도 없는 내가 괜히 나서서 이 사달이 벌어진 듯했다. 그 누구도 나에게 뭐라고 하지 않았지만 나 자신은 끊임없이 나를 비난하고 자책하는 악순환이 계속되었다. 하지만 어느 정도의 시간이 지나자, 극도의 불안은 서서히 잦아들었고, 그렇게 불안이 사라지고 있다고 믿었다.

그렇게 며칠이 지난 어느 날 갑자기 극심한 불면증과 불안이 시작되었다. 하루에 1시간도 못 자고, 불안에 덜덜 떠는 날이 3주 동안 지속되었다. 졸음이 쏟아지는데도 잠은 오지 않고, 잠에 들어도 30분도 되지 않아 불안해하며 잠에서 깨어났다. 불안한 마음이 너무 심할 때는 혼자 방 안에 있는 것도 두려워 엄마에게 같이 있어 달라고 부탁까지 할 정도였다. 그렇게 불안한 와중에도 나는 계속해서 나 자신을 나무랐다. '능력도 없고, 성격만 더러운 내가 내 주제를 모르고 살았구나, 그래서 이렇게 벌을 받는구나!'. 밥도 제대로 먹지 못하고 잠도 제대로 못 자는 나를 보다 못한 엄마가 나를 정신건강의학과에 데려갔고, 그곳에서 나는 난생처음 불안장애를 진단받았다. 의사 선생님은 나에게 불안이 너무 심해서 우울증도 같이 온 것이라며 약을 처방해주었지만, 나는 좀처럼 내 증상을 받아들이지 못했다.

"선생님, 저 그 정도로 심하지는 않아요. 우울증까지는 아닌 것 같은데… 잠만 좀 잘 자면 괜찮을 것 같아요."

"우울증에 걸린 모든 환자가 그렇게 얘기해요. 지금 환자분은 색안경을 끼고 세상을 바라보는 것과 같아요. 무조건 약을 드시고 쉬어야해요."

집에 돌아와서도 나는 약을 먹지 않겠다고 버텼지만, 엄마의 성화에 못 이겨 약을 먹기 시작했다. 약을 먹고 2주가 지나자 거짓말처럼 잠을 잘 자게 되었고, 불안도 많이 가라앉았다. 하지만 내가 뭔가를 크게 잘못하고 있다는 자책과 죄의식은 쉽사리 사라지지 않았다. 극도의 불안이 가시자 우울감이 나를 덮쳤고, 내가 모든 걸 망쳤다는 생각이 들었다. 우는 일이 극히 드물었던 내가 주체할 수 없을 정도로 시도 때도 없이 울음이 터져 나왔고, 주말에는 내가 무능력하다는 죄의식에서 벗어나기 위해서 끊임없이 공부하려고 했다. 의사 선생님은 나에게 지금 쉬지 않으면 회복에 더 오랜 시간이 걸린다며 나에게 쉴 것을 강조했다.

"제가 열심히 안 살아서 이렇게 된 거 같아요. 최선을 다해야 했는데…"

"제가 제일 싫어하는 말이 뭔 줄 아세요? 최선을 다하라는 말이에요. 어떻게 사람이 매일 최선을 다 하나요? 매일 최선을 다하면 어떻게 되는지 아세요? 죽어요."

의사 선생님은 다소 단호한 표정으로 지금 내가 하는 생각들은 우울증의 증상일 뿐이고, 지금 해야 하는 건 휴식밖에는 없다고 하셨다. 하지만 나는 쉴 수가 없었다. 왠지 지금 쉬면 나는 더 나락으로 떨어질 것 같은 정말 말도 안 되는 생각이 나를 지배했기 때문이다. 계속해서 비합리적인 생각을 하면서 나는 나를 또 몰아붙이고 빨리 이 불안에서 벗어나야 한다고 나를 다그쳤다. 그렇게 나는 약을 먹으면서도 나 자신과 끊임없이 싸우고 있었다.

생각해 보면 나는 어릴 적부터 걱정이 매우 많은 아이였다. 일상생활을 하면서 크고 작은 걱정을 달고 살았고, 엄마도 내 걱정 때문에 화를 낸 적이 있다고 하셨다. 걱정은 불안으로 자라났고, 이 불안은 내가 학창 시절 공부를 하면서 점점 더 커졌다. 완벽하게 공부하지 않으면 시험을 망칠 것 같은 불안함. 그리고 나아가서는 좋은 고등학교와 대학교에 진학하지 못할 것 같은 생각들. 이 불안한 생각들은 어떻게 보면 내가 열심히 공부하고, 인생을 열심히 살아가게 하는 원동력 중 하나였는지도 모른다. '시험을 망치면 어떡하지, 대학에 입학하지 못하면 어떡하지, 취업을 못 하면 어떡하지!' 로 시작해서 모든 일을 처리해 왔기 때문이다. 회사 생활을 하기 전까지는 이 전략이 꽤 효과가 있었다. 하지만 회사에 입사한 후로 불안은 나의 원동력이 아닌 나를 괴롭게 하는 원인이 되어 버렸다.

입사 후 처음으로 배치받은 부서는 인사팀으로, 나는 그곳에서 6개월간 신입 사원을 채용하는 업무를 맡았다. 압도적인 업무량과 실수 한 번에 회사의 이미지가 실추되는 곳에서 나는 사회생활을 시작한 것이었다. 게다가 동기들은 신입사원답지 않게 실수 없이 일을 너무나 잘 해내고 있었다. 기본적인 것도 제대로 못 하고 매일 실수만 하는 나는 동기들과 나 자신을 비교하며 점점 더 불안해졌다. 이때부터 불안이 점점 심해지고 있었지만, 애써 이를 외면했다. 부서를 옮기고, 다른 업무를 하면 불안이 없어지겠지. 지금은 내가 일이 너무 많아서 그런 게 아닐까? 그래, 환경이 바뀌면 이 불안한 마음은 분명히 없어질 거야. 불안을 외면하면 할수록 불안은 자기를 좀 더 보아달라는 듯이 날뛰고 있었다.

하지만 그걸 알아차리지 못하고, 나는 6개월의 인사팀 업무가 종료된 후 사업 기획 부서에 지원했다. 왠지 새로운 환경에서라면 불안 없이 일을 잘 해낼 것 같은 착각이 들었다. 처음 3년은 내 선택이 맞은 듯했지만, 이 생각도 잠시였다. 갑작스러운 야근과 주말 출근, 히스테릭한 상사 등 연차가 쌓일수록 눈앞에는 더 힘든 일들만 나를 기다리고 있을 뿐이었다. 심지어 내가 관심 있던 분야의 업종도 아니었기에 일도 재미없고, 매일매일 출근하는 게 고역이었다. 그렇게 억지로 회사에 다니며 주말에는 이직 준비를 한답시고 이도 저도 아닌 시간을 보냈다. 이 회사만 아니면 되겠다는 생각으로 가득한 시간을 보내면서, 불안은 내가 모르는 곳에서 점점 더 커지고 있었다. 그리고 그렇게 꾹꾹 눌러온 불안은 입사 4년 차, 사장님 보고를 준비하다 어이없게 갑자기 터져버리고 말았다. 나 자신을 공격하면서 말이다.

이렇게 갑자기 터져버린 첫 번째 불안은 엄마 손에 이끌려간 정신건강의학과에서 처방을 받은 항우울제와 항불안제를 복용하며 점점 나아졌다. 내가 살면서 정신과에 갈 날은 절대 없을 줄 알았는데, 불안이 심했던 당시의 나로서는 달리 방법이 없었다. 그리고 약을 먹자 언제 그랬냐는 듯이 불면과 불안은 점점 좋아졌다. 잠을 제대로 못 자던 내가 숙면을 할 수 있게 되고, 매일 울기만 하던 나는 어느새 무한도전을 보며 웃고 있었다.

'그래, 그러면 그렇지. 내가 스트레스를 너무 많이 받아서 일시적으로 불안이 왔던 거구나? 이 불안이 없어지면, 이제 내 인생에서 정신

과 약을 먹을 날은 절대 없을 거야.'

　너무 힘들면 회사를 잠깐 쉬어도 된다는 의사 선생님의 조언도 있었지만, 그때는 왜 인지 회사를 쉬면 불안이 더 심해질 것만 같았다. 내가 무능력하다는 생각에서 출발한 죄책감, 죄의식 역시 약을 먹어도 쉬이 사라지지 못했다. 정신적으로 문제가 있는 직원, 능력도 없는 직원이라는 꼬리표가 나를 따라다닐 것 같아, 약을 먹으며 꾸역꾸역 버텼다. 그리고 나는 그럭저럭 잘 지내는 것처럼 보였다. 여전히 내 안의 불안과 우울을 애써 부정하면서. 마침, 연말 조직개편으로 인해 팀 내에는 크고 작은 이동이 있었고, 나 역시 이참에 보고서를 작성하던 기획 업무에서 벗어나 팀의 인사 및 재무를 담당하는 지원 업무로 직무를 변경하기로 했다. 최소한의 변화를 꾀하며 도망가는 선택을 한 것이다. 회사라는 큰 공간을 도망칠 생각은 하지 못하고, 소심하게 회사 안에서 계속해서 부서와 직무를 바꿔가면서. 여전히 나는 불안의 원인을 내가 아닌 환경에서 찾고 있었다.

　그리고 나의 바람을 반영하듯, 지원 업무는 나에게 꽤 잘 맞는 듯했다. 심지어 같이 일하게 된 상사는 너무나 너그러운 성품을 가진 분이었고, 살가운 후배도 있었다. 그렇게 죽도록 싫었던 회사 생활이 조금씩 괜찮아지기 시작했다. 지금 생각해 보면 당시 내 기분이 괜찮았던 건 어쩌면 약 덕분이었는지도 모르겠다. 하지만 당시에 나는 직무를 바꾸고, 환경을 바꿔 불안 요소가 없어졌기 때문에, 더 이상 불안하지 않다고 생각했다. 아니 그렇게 믿고 싶었던 것 같다. 이전처럼 불안한 일도 많이 없어지고, 내가 일을 못한다는 죄책감이 어느 정도 사라지자 나는 당시에 누리던 평온이 지속되리라는 환상에 빠졌다. 이제 내 인생에서는 그 어떤 좌절도 없을 것이고, 좋은 상사와 적당량의 업무를 수행하며 나는 회사 생활을 잘 해낼 거라고.

　그러려면 나는 최대한 빨리 괜찮아져야 했다. 약도 더 이상 먹으면 안 되었고, 스스로 우울과 불안을 조절할 수 있는 사람이어야 했다. 괜찮지 않았지만 나는 괜찮은 척을 하면서 빨리 예전의 나로 돌아가려고 했다. 해외여행도 가고 요가도 시작하면서 마치 내 인생에서 불안장애가 찾아온 적이 없던 사람처럼 굴었다. 가족들도 나에게 그런 일이 있었냐는 듯, 내가 불안장애에 걸리기 전처럼 나를 대했다. 나는 매일 먹어야 하는 약을 점점 띄엄띄엄 먹게 되었고, 주치의 선생님 역시 나에게 별다른 처방을 내리지 않았다. 최소 용량으로 약을 먹는 날들이 점점 늘어나고, 나는 다시 괜찮아지고 있었다. 그렇게 불안장애에 걸렸던 시기는 인생에 잠시 왔다 가는 해프닝 정도로 끝나는 것처럼 보였다.

　그렇게 해프닝으로, 시간이 지나서 나에게 그런 사건이 일어났다 정도로 끝날 얘기였다면 얼마나 좋았을까? 회사라는 공간은 역시 내 바람을 쉽게 들어주는 곳이 아니었다. 불안장애에 걸리기 전의 나로 돌아왔다 싶을 때쯤 다시 조직 개편이 되었다. 팀이 없어진다는 소문에 사람들은 하나둘씩 자기 살길을 찾아 이 부서 저 부서로 떠나기 시작했고 분위기는 어수선했다. 마침, 내 사정을 알던 인사팀의 부장님은 내가 갈 만한 부서를 알아봐 주셨고, 비교적 이른 시일 내에 전배가 확정되었다. 일주일도 안 되는 짧은 시간 내에 나는 인수인계를 마친

후 새 부서에서 업무를 시작하게 되었다. 조직개편으로 인해 새롭게 구성된 팀은 일손이 필요하지 않은 곳이 없었다. 팀의 지원 업무를 맡고 있던 나는 부서원 이사, 팀장님의 중식 스케줄, 팀원 인사 발령 등 쏟아지는 업무를 쳐내며 하루하루를 보냈다. 그러면서 내 불안과 우울은 다시 나를 잠식하고 있었지만, 나는 이를 전혀 눈치채지 못했다.

　너무나 많은 업무량으로 인해 매일 야근하는 나와 달리 매일 일찍 집에 가는 옆자리 동료들, 나를 채근하는 상사. 이전 부서와는 180도 달라진 분위기에 나는 정신을 차리지 못했다. 이때는 불안과 우울이 아닌 분노가 나를 휘감았다. 뭘 해도 화가 나고, 짜증이 나는 상태였다. 이제 정신과 약을 먹지 않아도 잠을 잘 자자고 우울감 대신 분노만 차오르니 약을 그만 먹어도 되겠다고 생각하게 되었다. 주치의 선생님과의 상의도 없이 나는 내 마음대로 약을 그만 먹기로 결심했다. 책상 서랍에는 병원에서 받은 약이 쌓여갔지만 이제 나와는 상관없는 것들이라 생각했다. 그냥 이 회사가 모든 문제의 원흉인 것만 같았다. '회사를 옮기면 괜찮아지지 않을까? 하지만 매일 야근하느라 이직을 준비할 시간도 없는데?' 환경을 바꾸고 싶지만, 환경을 바꿀 시간조차 주지 않는 회사를 원망하고 또 원망했다.

　그렇게 1년 가까이 분노에 휩싸여 일을 하던 중 원하던 부서로 옮길 수 있는 또 한 번의 기회가 나에게 찾아왔다. 하지만 나를 비웃는 듯이 부서 이동은 좌절되었고, 나는 더 깊은 절망에 빠졌다. 이렇게 내 인생은 망해가는 듯한 느낌이 들었다. 다른 동기들은 적성에 잘 맞는 부서에서 탄탄하게 경력을 쌓아가고 있는데, 이 부서 저 부서를 전전하면서 제대로 된 경력도 없는 내 인생은 망함 그 자체였다. 분명 같은 선에서 출발했는데, 내 인생만 점점 꼬여가는 것 같았다. 회사에 출근해서도 계속 해서 우울한 생각이 나를 사로잡았고, 울음을 참아가며 또 꾸역꾸역 회사를 왔다 갔다 하는 날들이 계속되었다.

그러다 두 번째로 불안이 나를 찾아왔다. 처음으로 불안장애가 찾아왔던 때와 비슷하게 보고서를 작성하는 환경이 내 안의 불안을 불러냈다. 그래도 첫 번째보다는 훨씬 낮은 강도였다. 그리고 이제는 내가 겪고 있는 불면증, 심장이 두근거리는 증상이 불안장애 때문이라는 것을 알게 되자 나는 뒤도 돌아보지 않고 다시 병원으로 향했다. 그렇게 나는 또다시 약을 먹기 시작했다.

다행히 이번에는 강도가 심해지기 전에 바로 병원에 갔기 때문인지, 약의 용량이 높지 않았음에도 불안과 우울은 빠르게 진정되었다. 하지만 다시는 정신과에 갈 일이 없을 거라 믿었던 나에게 불안장애 재발은 너무나 충격적이었다. 이렇게 평생 약을 먹으면서 살아야 하는 걸까? 그건 너무나 끔찍했다. 요가와 명상이 불안과 우울에 좋다는 얘기를 듣고 나는 그 두 가지에 매달리게 되었다.

요가와 명상으로 불안장애를 극복했다는 사람들을 롤모델로 삼아 나도 그들처럼 약에 의존하지 않고 불안을 극복하고자 했다. 그런 나를 알아봤던 건지 요가 선생님은 요가원에서 운영하는 값비싼 프로그램들을 나에게 끊임없이 추천해 주었다. 내 불안을 없앨 수 있다면 그깟 돈이 대수인가. 별 고민 없이 결제했다. 웃기지만 당시 나에게 중요한 것은 돈이 아니었다. 불안을 없애고 편안하게 살 수만 있다면 뭐든다 할 수 있을 것만 같았다.

다행히 요가를 하면서 마음을 다스리고, 내 몸의 감각에 집중하는 활동 자체는 불안을 완화시키는데 많은 도움을 주었다. 그 이후 퇴근 후에는 무슨 일이 있어도 요가원에 들러 요가를 하고, 주말에도 요가원 프로그램을 들으며 제발 이 불안이 없어지기를 바라고 또 바랐다. 요가를 하면서 접하게 된 명상도 그랬다. 명상을 꾸준히 하고 싶은 생각에 명상 앱 정기 결제를 하고, 잠이 오지 않을 때는 명상 프로그램을 들으며 마음을 다잡고 또 다잡았다. 요가와 명상으로 우울증이나 불안장애를 극복했다는 사람들의 후기를 보면서 나도 요가와 명상을 꾸준히 하다 보면 언젠가 불안에서 벗어나리라 굳게 믿었다.

하지만 내가 불안을 없애기 위해 요가와 명상에 매달릴수록 불안은 계속해서 내 주위를 맴돌았다. 하루하루를 겨우 살아내며 불안하지 않은 날은 안도하고, 불안하면 여전히 잠을 이루지 못하는 날들이 계속되었다. 그러다 다시 한번 부서를 옮길 기회가 찾아왔고, 나는 이 회사에서 해볼 수 있는 마지막 선택이라 여겨 상품 기획 부서로 전배를 갔다. 그곳에서 하는 업무는 보고서를 쓰는 것이 아니라, 여러 개발자, 기획자들과 함께 상품 기획을 하는 것이었기 때문에 나는 왠지 새롭게 회사 생활을 시작할 수 있을 것만 같았다. 새로운 업무, 새로운 환경에 적응하느라 불안이 더 커질 거라고는 상상도 하지 못하고 그저 지금의 부서에서 벗어나면 모든 게 해결되리라 생각했다.

내 바람과는 다르게 새로 옮긴 상품 기획 부서는 적응하는 데에만 거의 4개월이 넘게 걸렸다. 압도적인 업무량으로 인해 거의 매일 11

시가 다 되어 퇴근하고, 주말에도 혼자 공부하며 업무를 수행해야 했다. 거기다 개발자, 다른 기획자들과 매번 의견을 조율하며 협업하는 환경은 내성적인 나에게 쥐약이었다. 또다시 잠을 제대로 자지 못하고, 불안에 휩싸인 나날들이 반복되었다. 나를 오랜만에 만난 후배도 표정이 너무 안 좋아 보인다며 나를 걱정하던 날 나는 인정했다. 세 번째로 불안장애가 재발했구나. 나는 더 이상 안되겠다는 생각을 했다.

'아, 이건 회사를 그만두라는 신호다. 이제 난 더 이상 회사에 다닐 수 없는 사람이 되어버렸다.'

그렇지만 무턱대고 회사를 관둘 수는 없었다. 그간 회사를 관두고 싶다고 말할 때마다 나를 탓하는 부모님을 떠올리자, 퇴사 생각이 쏙 사라졌다. 이러지도 저러지도 못한 채 막다른 골목에 갇혀 있는 것만 같았다. 나는 마지막 지푸라기라도 잡는 심정으로 심리 상담 선생님을 찾아갔다.

사실 과거에도 사내 심리 상담센터에서 몇 번 상담을 받아본 적이 있었지만, 별다른 효과는 보지 못했다. 상담사는 에너지를 비축해서 취미 생활을 하라는 둥, 부서에 고충을 얘기해 보라는 둥 피상적인 얘기만 했고, 사내 게시판에도 상담 센터에 갔다 오히려 상처를 받았다는 사람들의 글도 다수 있었다. 이렇게 회사 내에서 몇 번의 직간접적인 경험을 한 후 난 심리 상담을 불신하게 되었다. 하지만 이번에는 달랐다. 이렇게 계속 불안장애 약을 먹으며 증상만 개선하면 나는 평생, 이 불안을 되풀이할 것만 같았다. 표면적인 불안 해결보다 근본적인 문제 해결이 필요하다는 생각에 나는 마지막으로 딱 한 번 더 심리 상담을 믿어 보기로 했다.

회사 생활이 힘들고 불안이 심해져 상담을 받으러 왔다는 말에 상담 선생님은 나의 증상을 이것저것 물어보았다. 이후 선생님은 내 예상과는 전혀 다른 답변을 내놓았다. 지금은 절대 회사를 관두면 안 된다는 것이었다. 나는 내심 상담 선생님이 당장 회사를 관두고 쉬라는 대답을 해주기를 바랐다. 아니 그 답을 들으러 심리 상담을 받기로 한 것일지도 모르겠다. 하지만 선생님은 지금 회사를 관두면 더 불안해질 것이라는 말을 하며 장기적으로 상담을 받아 보는 것이 어떻겠냐는 제안을 하셨다. 상술인가? 아니면 진짜 나에게 상담이 필요해서 그러는 걸까? 상술이면 어때, 불안이 사라질 수만 있다면 뭐든 해봐야지. 그 길로 나는 5년간의 심리 상담이라는 기나긴 여정을 시작했다.

심리 상담을 시작하고 약 1년간은 나의 표면적인 불안을 해소하기 위한 상담이 대부분이었다. 나는 회사에서 있었던 불안한 일을 얘기하고, 선생님은 나를 위로하는 패턴이었다. 겉으로 보기에는 별 진전이 없어 보였지만, 나는 선생님을 만나는 한 시간이 불안을 위로받는 시간이라 생각했던 것 같다. 비록 피상적인 얘기만 했지만, 꾸준히 상담을 받으러 간 덕분인지 선생님은 1년이 넘는 시간 동안 나를 관찰하며 기다려 주셨다. 그리고 내가 마음을 열기 시작할 때쯤 선생님과 본격적인 상담을 시작할 수 있었다.

심리 상담을 받기 전 난 내 안의 불안을 해결하는 방법은 '환경을 바꾸는 것'이라고만 생각했다. 회사를 바꾸거나, 나를 압박하는 부모님을 벗어나면 불안이 말끔히 나아지리라는 환상에 사로잡혀 있었다.

그렇지만 약 5년간의 상담을 받으면서 나의 불안을 더 크게 키우는 건 바로 나 자신이라는 것을 깨닫게 되었다. 물론 업무량이 많고, 나를 힘들게 하는 사람들과 함께하는 회사 생활이 불안장애에 영향을 미친 것은 맞지만, 불안을 키워가고 강화한 것은 나의 반복된 사고방식이었다. 불안한 일이 발생하지 않도록 하기 위해서 매사에 철저히 대비하려고 하고, 남들에게 욕먹지 않기 위해 매번 눈치 보는 행동 패턴. 거기다 불안은 아예 없애 버려야 한다는 나의 잘못된 믿음이 불안을 더 키워왔다.

진작 나 자신의 마음을 알아주고 돌보아주었다면 불안이 그렇게 커지지 않았을 거라 선생님은 얘기한다. 하지만 나는 어린 시절부터 너무 오랜 시간 내가 느끼는 감정을 억압하고 그저 기능적인 인간으로 살아왔기에, 감정을 느끼는 일조차 어색했다. 상담을 받으면서 가장 난감했던 순간이 선생님이 지금의 기분과 감정을 물어볼 때였다.

"지금 어떤 기분이에요?"

이 간단한 질문에도 나는 즉각 대답하지 못했다. 머릿속에는 감정보다는 사건에 대한 생각이 가득했고, 그때마다 선생님은 생각 말고 감정을 얘기하라고 했다.

'내가 느끼는 감정은 오로지 불안, 우울, 짜증 이런 것들밖에 없는데, 도대체 무슨 감정을 얘기해야 하지?'

감정을 억누르고 느끼지 않으며 산 지가 너무 오래되다 보니, 특히 1차원적인 기쁨, 슬픔 이런 것들을 제외하고는 어떤 종류의 감정이 있었는지도 모른 채 살아가고 있었다.

그날 이후 선생님은 나에게 여러 가지 감정을 나타내는 말이 담긴 파일을 건네며, 내가 겪은 사건, 표면적인 감정, 진짜 속마음을 써보는 연습을 하라고 하였다. 처음 며칠은 속마음을 쓰는 것이 쉽지 않았다. 나의 표면적인 감정은 늘 불안 아니면 짜증이었기에, 그 이면에 어떤 감정이 숨어있으리라는 생각하지 못했다. 하지만 불안 뒤에는 수많은 감정이 숨어있었다. 속상함, 아쉬움, 섭섭함, 수치스러움, 외로움 등등… 그렇게 감정을 점차 느껴주는 연습을 하게 되자, 나는 상담에서도 나의 진짜 속마음을 얘기할 수 있게 되었다. 그리고 그 시점이 되자 불안장애 약도 자연스럽게 끊을 수 있게 되었다.

서서히 불안이 잦아들고, 내 삶도 어느 정도 안정궤도에 올라서는 듯했지만, 여전히 회사에서의 업무나 인간관계들은 나를 불안하게 만들었다. 끊임없는 업무와 나의 과도한 책임감은 그야말로 환장의 짝꿍이었다. 업무가 많은데도 꾸역꾸역 다 해내려고 하면서도 욕을 먹고 싶지 않은 나는 또 나 자신을 방치하고 있었다. 불행 중 다행으로 부서장님이 나의 업무가 과도하다는 걸 알고 사람을 충원하려고 했지만 역부족이었다. 희망 없이 이 일을 계속 해야 한다니… 이대로 가다가는 다시 무너질 것만 같았다. 이때 불현듯 회사의 휴직 제도가 생각났다. 이미 몇 년 전부터 휴직을 하고 싶었지만, 진급, 월급, 부모님의 시선 등 갖가지 핑계로 차일피일 미루던 휴직이었는데, 이번에는 왠지 꼭 해야만 할 것 같았다.

휴직을 결심하고 심리 상담 선생님께 어렵사리 이야기를 꺼냈다. 예전에 회사를 관둔다고 했을 때, 회사를 관두지 말라고 했던 선생님이었기에 혹시나 내가 지금 휴직하는 것도 다시 생각해 보라고 하실 것만 같았다. 하지만 내 예상과는 달리 선생님은 휴직을 하는 것에 찬성하셨다. 다만, 불안감에 의한 도피성으로 휴직을 한다면 아마 휴직하는 내내 불안은 가시지 않을 거라 말씀하셨다. 그럼 휴직하지 말아야 하나? 나는 그 이후로도 거의 1년 간 휴직을 해야 할지 말지 고민하기 시작했다. 물론 부서 업무 특성 상 바로 휴직을 할 수 있는 환경이 아니기도 했기에, 나는 또 남 핑계를 대며 내가 진짜 원하는 걸 선택하지 못하고 있었다. 그때마다 선생님은 남이 아닌 나를 들여다 보라고 했다. 남들의 기준이 아닌 내 기준에서 내가 진짜 힘들다면 그건 힘든 거니 나의 어려움을 인정하라고 하셨다.

그렇게 시간만 흘러가던 와중 나는 내 선택을 믿어 보기로 하고, 고민 끝에 부서에 휴직을 원한다고 얘기했다. 그제야 부서장님은 왜 진작 말하지 않았느냐고 말하며 2주 정도 휴가를 다녀오면 어떠냐는 제안을 했다. 예전의 나였다면 그 제안을 받아들이고, 휴직을 철회했을지도 모르겠다. 하지만 이번에는 이렇게 휴직을 하지 못하고 계속 회사에 다닌다면, 계속해서 후회만 남을 것이라는 생각이 강했다. 나는 휴가보다는 휴직을 하면서 좀 길게 쉬고 싶다는 의사를 내비쳤고, 부서장님은 그럼 최대한 빨리 대체자를 구해보겠다고 하셨다. 생각처럼 대체자가 빠르게 구해지지는 않았지만, 그로부터 8개월 후 나는 진짜 휴직을 하게 되었다. 내가 머리로만 상상하던 일이 현실이 되었다.

휴직을 하겠다고 부서에 말하고, 휴직에 들어가기 전까지도 내 머리에는 두 사람이 계속해서 싸우고 있었다. '괜히 휴직한다고 했나?

다들 바쁜데 민폐 끼치는 거 아니야? vs 내가 죽겠는데 무슨 다른 사람을 배려해? 힘드니까 휴직해도 괜찮아!' 괜히 부서 사람들 눈치를 보고, 내가 잘못해 놓은 일 때문에 내가 휴직한 후 사람들이 고생하면 어떡하지 하는 생각에 사로잡혀 몇 개월을 보냈다. 그리고 휴직에 들어가기 전날, 내 예상과 달리 부서 사람들은 나의 휴직을 아쉬워했다. 그리고 나와 몇 년 간 협업했던 개발자분들도 나의 휴직을 아쉬워한다는 소리를 전해 들었다. 모두 나를 싫어하고, 욕할 것이라는 내 착각과는 다른 반응을 보자 감사한 마음과 미안한 마음이 공존하였고, 비교적 가벼운 마음으로 휴직 전 마지막 퇴근을 할 수 있었다.

1년 간의 휴직을 결심하고, 휴직을 시작한 지 약 1달 반이 지났다. 처음에는 그저 회사를 가지 않는다는 사실 만으로도 잠을 잘 자고 여기저기 아팠던 곳이 나아지자 역시 회사를 안 가길 잘했다는 생각이 들었다. 그러나 그 생각도 잠시, 여전히 마음 한쪽에는 내가 했던 일이 잘못되어서 지금 부서 사람들이 고생하고 있으면 어쩌지, 복직 후에 잘 적응해서 회사에 다닐 수 있을까, 복직 후 불안장애가 또 생기면 어떡하나 등등 미래에 대한 생각들이 떠나지 않고 있다. 그렇지만 전과 다르게 나는 하루하루를 살아내지 않고, 충실히 살아가고 있다. 또한 13년이라는 긴 시간 회사를 다니며 나 자신에게 제대로 된 쉼을 주지 않았던 내가 쉼을 선택했다는 사실만으로도 은근한 위로가 되었다.

회사에 다니는 동안 나에게는 하고 싶은 일이 별로 없었다. 있어도 그 욕구를 늘 누르며 살아왔다. 퇴근 후나 주말에도 회사 생각이 머리에서 떠나지 않았기에, 뭘 해도 즐겁지 않았다. 어차피 내일이면 회사에 가야 하는데, 일도 못하는 내가 여기서 이렇게 즐거워할 자격이 있나? 내 머리에서 나온 생각을 진짜라 믿으며 내가 좋아하는 것이 무엇인지도 모른 채 살아왔다. 하지만 요즘의 나는 매일매일 하고 싶은 일이 너무나 많다. 먹고 싶은 것, 가고 싶은 곳도 많아져 스마트폰에는 내가 저장해둔 음식점과 전시 공간, 카페가 줄어들 새가 없다. 내가 원래 이렇게 활동적인 사람이었나 싶을 정도로 매일 집 밖에서 하고 싶은 일들을 하나씩 해 나가고 있다. 원하던 것을 해낸 후 마무리하는 하루는 말할 수 없이 뿌듯했다. 매일 불안해하며 잠자리에 들던 때와는 달리 기대 속 잠자리에 들 수 있게 된 것도 엄청난 변화였다.

이렇게만 보면 나에게는 휴직이 만병통치약인 듯싶지만, 휴직은 한시적이고 나는 1년 뒤 회사로 다시 돌아가야 한다. 여전히 회사에 다시 돌아간다고 생각하면 눈앞이 깜깜하지만, 요즘은 적어도 휴직기간 나를 돌보는 방법을 확실히 터득한다면 회사에 돌아가도 다닐 만할 수도 있겠다는 생각이 든다. 다양한 경험을 통해 많은 감정을 느끼고 버텨줄수록, 그 경험들이 결국 내가 살아갈 수 있는 힘이 된다는 걸 조금씩 체감하고 있기 때문이다. 아직 휴직한지 얼마 안 되었고 복직 또한 멀었기에 섣불리 판단할 수는 없지만, 나를 위해 쉼을 선택했다는 것 자체만으로도 나에게 힘이 되는 것처럼 말이다.

돌이켜보면 불안이라는 감정을 앞에 내세워 나와 주변의 모든 상황을 통제하고, 다른 감정은 수용하지 않았던 데서 나의 문제가 시작되었다. 그래서 나는 완벽하게 일하기, 그 누구에게도 욕먹지 않기 등등 불가능한 목표를 가능하게 만들어야 한다고 나를 압박하면서 불안을 없애는 데에만 온 힘을 다했다. 하지만 그럴수록 불안은 더 커져만 갔다. 당연한 결과였음에도 나는 없어지기는커녕 점점 자라나는 불안을 보며 모든 것을 포기하고 싶기도 했다 멈추는 법도, 속도를 늦추는 법도 잊어버린 채 잘못된 방향을 향해 전속력으로 달리다 보니 돌아가기에는 너무 늦은 듯싶었다. 하지만 내가 방향을 틀고, 다시 길을 나아가기 위해 필요한 것은 의외로 정말 간단했다. 불안은 그 누구도 아닌 나 자신이 만들어 내고 있었다는 것, 그리고 내가 만들어 냈기 때문에 내가 조절할 수 있다는 사실이었다.

이걸 인정하는 데까지는 정말 오랜 시간이 걸렸다. 불안장애가 나를 찾아온 후 거의 8년 만이었다. 그렇지만 내가 이 사실을 깨닫고, 휴직을 했다고 해서 드라마틱하게 나의 불안이 줄어들지는 않았다. 나는 여전히 불안하고, 회사나 나의 미래를 생각하면 부정적인 생각이 더 먼저 든다. 그렇지만 불안에 시달리거나 부정적인 생각을 하는 시간은 확실히 줄어들었다. 전에는 거의 며칠을 하나의 부정적 사건에 꽂혀 그걸 계속해서 반추하고 분석했다면, 이제는 반추하는 시간을 내일 뭘 하고, 어디를 가볼까 하는 시간으로 대체하고 있다. 그저 상투적인 말이라고 생각했는데, 누군가를 살아가게 하는 원동력은 정말 내일에 대한 기대였다. 그 기대는 물론 로또 당첨이나 내 집 마련같이 거창한 것이 아니었다. 좋아하는 일을 하고, 먹고 싶은 음식을 먹을 거라는 사소한 기대만으로도 충분했다.

나는 여전히 불안하고 앞으로도 불안할 것이 분명하다. 하지만 이제는 불안을 만들어내고 그걸 자라나게 만드는 건 그 누구도 아닌 나 자신이라는 사실을 알고 있다. 그리고 내가 불안할 때 드는 생각은 사실이 아니라 그저 나의 생각이고 망상이라는 것도 알고 있다. 내가 자신 있게 안다고 말하는 이유는 이런 것들을, 경험을 통해 머리가 아닌 마음으로 느꼈기 때문이다. 과거에는 '왜 나에게 이런 일이 일어났을까, 다른 사람들은 모두 행복하게 살아가는데…' 라는 마음이 컸다. 그렇지만 지금은 '지금이라도 깨달았으니 너무 다행이다. 그리고 한 살이라도 어릴 때 불안의 실체를 알게 되어 감사하다.' 라는 마음이 더 크다. 왜냐하면 고통은 언젠가 지나갈 것이고, 나는 미세하지만 조금씩 나아지고 있기 때문이다.

인사이드 아웃 2의 실질적 주인공이라 불리는 '불안이'는 나와 많이 닮았다. 다른 감정을 억압하고 오로지 불안한 일이 발생하지 않도록 하기 위해 모든 것을 통제하는 모습이 꼭 나를 보는 것 같았다. 영화 속에서 불안이는 끝까지 불안해하지만, 영화 말미에 다른 감정들은 불안이를 안심시키며 안마 의자와 따뜻한 차를 불안이에게 건넨다. 그제야 비로소 불안이는 안정을 되찾고, 미래에 철저하게 대비하는 불안의 순기능을 멋지게 보여준다. 영화를 보며 나 역시 내 안의 불안이를 미워하고 없애려고 했던 시간이 떠 올랐다. 불안이가 필요 했던 건 비난이나 억압이 아니라 편히 쉴 수 있는 안마 의자와 따뜻한 차 한 잔이었는데도, 이걸 외면하며 긴 시간을 살아왔다. 이제는 불안이를 보듬어주고 편안하게 해주면서, 나는 그렇게 불안과 함께 내 삶을 살아가 보려고 한다.

행복의 재초점

박다라

박다라   8년 차 인사담당자입니다. 사람들에게 기운 북돋는 말을 전하는 걸 좋
아하고, 상대방이 좋아하는 걸 틈틈이 기억해 놨다가 갑자기 짜잔- 하
며 선물하기도 합니다. 워낙 기록하는 것 자체를 좋아해서 종종 손 편
지를 써서 전하기도 하고, 블로그에 한 달 단위로 그날의 사진과 함께
감정을 남기고 있습니다. 소소한 행복을 즐기고, 하루의 운세는 어떤
지 확인하기 위해 자주 바나프레소에 갑니다. 그리고 이제는 고마운
사람들을 위해 그들의 행복과 안녕을 바라며 글을 쓰기 시작했습니다.

책을 건네며

매일이 똑같은 일상의 반복이라고 생각하는 당신에게

"인생은 모두가 함께하는 여행이다.
매일매일 사는 동안 우리가 할 수 있는 건
최선을 다해 이 멋진 여행을 만끽하는 것이다."

영화 <어바웃타임> 대사 중에서

영화 〈어바웃타임〉에서 주인공인 팀은 아버지를 통해 집안 내력으로부터 시간을 되돌릴 수 있는 특별한 능력이 있다는 걸 알게 된다. 행복을 찾기 위해 팀은 수도 없이 시간을 되돌리고, 일상을 반복하면서 '현재에 집중'하는 것이 시간을 돌리는 것보다 더 가치 있는 일이라는 걸 깨닫게 된다. 그다음 날부터 팀의 하루는 완벽히 달라졌다. 숨

쉴 틈 없이 바쁜 업무 중에도 작은 농담을 던지며 동료와 함께 웃음을 찾는 여유가 생겼고, 작은 배려를 통해 행복을 전하고 느끼는 사람이 됐다.

이처럼 행복은 시간을 되돌린다고 해서 찾을 수 있는 것이 아니다. 현재의 삶을 충실히 즐기다 보면 자연스레 행복이 따라오는 것이다. 대부분의 사람은 행복하기 위해선 행복을 느낄만한 무언가를 해야 한다고 생각한다. 그러나 하나의 강박일지도 모른다. 행복은 좇는 게 아니라 나에게 오게끔 해야 한다. 그러려면 '나'에 대해 잘 아는 것이 중요하다. 스스로에 대한 건강한 믿음과 삶을 바라보는 태도를 긍정적으로 취하는 것이 행복에 가까워지는 첫걸음이다.

무슨 일이 생겼을 때 낙담보다는 기회로, 두려움을 보이기보다는 용기를 내보는 태도를 지녀야 한다. 그래야 조금 더 건강한 시선으로 세상을 바라볼 수 있고 잦은 바람에도 휘둘리지 않는다.

사실 말이 쉽지, 나라고 이 모든 걸 잘 해내고 있는 것은 아니다. 삶의 공허함과 열등감으로 깊은 동굴 속에 들어가 있던 때가 있었다. 2020년 여름, 불안이란 파도가 내 온몸을 구석구석 때리며 헤아릴 수 없는 깊이의 밑까지 날 데리고 갔다. 잠이 들 때면 그다음 날이 안 와도 괜찮겠다 싶을 정도로 현실에 대한 미련도 없던 나였다. 그렇게 삶의 의미를 느끼지 못하고 열정도 없던 내가 다시 일어나 지금 이렇게 책을 쓰게 된 건 '태도'를 달리했기 때문이다.

오늘의 나는 꽤 건강하고 행복한 삶을 살고 있다. 작은 부분에도 감사함을 느끼며, 일상에서 마주하는 익숙함 속에서도 늘 새로운 행복을 발견한다. 공백의 시간을 거치며 깨달은 게 하나 있다. 행복은 외부의 환경에서도 얻을 수 있지만 가장 중요한 건 나 스스로의 건강함 속에서 나왔을 때 더 크다는 것이다. 나를 넘어 세상을 바라보는 태도가 얼마나 중요한지를 깨닫고 난 뒤 모든 것이 바뀌었다.

그래서 이 책을 통해 내가 어떻게 건강함을 찾을 수 있게 됐는지 세상을 바라보는 '내 시선'을 공유하고자 한다. 당신에게 다가올 새로운 삶을 대할 때 이 책이 조금이나마 도움이 되길 바란다. 그런 점에서 내가 말한 '행복'은 어쩌면 '건강한 행복'에 더 가까운 의미일 수도 있겠다. 당신이 '건강한 행복'과 친해지길 바라며

*

2020년 여름, 정확히는 6월 30일 화요일 회사를 그만뒀다. 3년 3개월을 다닌 곳이었다. 첫 회사라 그런지 퇴사라는 말을 입 밖으로 내뱉기까지 오랜 시간이 걸렸다. 아마도 6개월은 넘게 걸린 것 같다. 그만두고 싶을 때도 많았지만 어떠한 기대도 없었다. 그냥 머릿속으로 속마음만 맴돌 뿐이었다.

'정말 다른 곳 가도 똑같으려나? 그럼 더 최악일 텐데, 여기 있는 게 나으려나…'

대표님은 하루가 멀다 하고 나에게 소리를 지르셨다. 그때 당시 난 채용 업무를 하고 있었는데, 적합한 후보자가 없어 채용이 미뤄지다

보니 화가 나셨던 것 같다. 그렇다고 채용이 매번 안 됐던 것은 아니었다. 휴가철 성수기 비성수기 시즌이 있는 것처럼 채용에도 그런 시즌이 있다. 성수기 때는 한창 합격률도 높아 입사도 잘했고, 흔히 말하는 노쇼도 없었다. 그럴 때면 회사에 입사해 나름 내 몫을 톡톡히 하고 있단 생각에 뿌듯함이 몰려왔다. 하지만 내게 돌아온 말은 "이 정도 하는 건 당연한 거야. 대리잖아. 더 잘해야지"였다. 주어진 일에 최선을 다했고, 그 결과 승진도 했지만 그 말을 들을 때면 기쁨보다는 부담과 불안이 더 커져만 갔다. 잘하고 싶으면 스스로 찾아서 하란 말이 그들이 나에게 해준 말의 전부였다.

그러던 어느 날이었다. 급여 지급 과정에 오류가 있었다는 걸 알게 됐다. 쿵쿵쿵. 힘껏 성난 발소리가 사무실 문을 열고 들어왔다. 대표님이었다. 심장이 터질 것 같아 두 눈을 질끈 감았다. 발소리가 멈추며 시작된 고요도 잠시, 대표님은 또 소리를 지르며 내게 왜 이런 실수가 발생했는지 설명하라고 했다. 회사에 있는 모든 사람의 귀가 나에게 집중됐다. 쥐구멍이라도 있으면 숨고 싶었다. 물론 실수에 대해 변명하고 싶진 않았지만 소리를 지르는 행동은 정말 이해가 되지 않았다. 그 순간 팀장님이 결정타를 날렸다.

"그러니까 대리님, 왜 그랬어."

충격이었다. 팀장이라면 적어도 내 편은 되어줄 줄 알았다. 그러나 팀장님은 모든 책임을 나에게 전가했다. 그 모습을 보니 더 이상 이곳에 있어야 할 이유가 없었다. 동료들은 다들 눈을 피하기 바빴다. 이 회사에 내 편은 한 명도 없다는 생각에 눈물이 앞을 가렸지만, 자존심이 상해 꾹 참았다. 그리고 집에 와서 한참을 울었다.

*

대표님의 목소리가 언젠가부터 머릿속에 계속 맴돌기 시작했다. 메일을 읽을 때도, 카톡을 볼 때도 화를 내는 듯 느껴졌고 사무실에서 마주칠까 두려워 하루에도 몇 번이고 문을 쳐다봤다. 바빠서 출근을 안 하시는 날엔 안도했고, 문을 열고 등장할 때는 더 혼날 게 없는지 생각하는 내가 소름 끼치게 싫었다. 그래서 차라리 출근길에 나한테 교통사고가 엄청나게 크게 나길 바랐다. '병원에 입원하면 적어도 내게 화는 내지 않겠지'하는 생각으로.

2018년 2월

나름 정성을 들인 후보자가 서류 합격을 했다. 면접 조율을 위해 소통을 하는데 갑자기 고객사 측에서 면접을 돌연 취소했다. 주변 지인을 통해 레퍼런스를 한 모양이었다. 후보자의 허락 없이 진행되는 레퍼런스는 엄연한 불법이었다. 후보자가 이를 알게 됐고 고소를 하겠다고 했다. 모든 일 하나하나가 다 처음인 내게 이런 이슈 핸들링은 역부족이었다. 위에 도움을 요청했지만 그저 잘 이야기해 보라는 가이드만 받았다. 내가 이 상황에서 할 수 있는 최선은 후보자에게 죄송하다고 말하는 것뿐이었다. 남이 한 잘못에 대해 내가 대신 사과해야 하는 이유를 모르겠다. 1년도 안 된 신입에게 어떠한 가이드도 없이 그저 네 일이니까 알아서 해결하라는 시스템도 너무나 가혹하다. 원래 회사란 게 이런가. 외롭다.

2019년 7월

단톡에서 이사님이 말씀을 하시길래 '네'라고 답변을 했는데, 바로 개인톡이 왔다. 상당히 반항적으로 들리니 '네'라고 대답하지 말라고 하셨다. 하루는 휴가를 냈는데, 갑자기 팀장님한테 전화가 오더니 파일을 수정해달라 하셨다. 외부라 상황이 어렵다 했지만 "그래서 못 해주겠다고?"의 답변만 들려왔다. 결국 주변 피시방을 가야 했다. 앞으로는 휴가에도 노트북을 들고 다녀야 하나...

2019년 11월

대표님이 법인카드 영수증 처리가 된 A4용지를 들고 오더니 내 얼굴에 던졌다. 분명 클립으로 묶여 있었는데, 눈을 떠보니 여러 장이 책상 위에 흩날려져 있었다. 금액이 왜 늘었냐고 묻는데 할 말이 없었다. 난 업무상으로 쓴 것 말곤 어떠한 것도 쓰지 않았는데. 나도 모르는 잘못을 또 내가 했나 보다. 그런가보다. 내 사비의 비중이 점점 커진다.

2020년 4월

요즘 나는 무기력하다. 어느 순간부터 난 회사에서 짜증 나면 마음대로 칠 수 있는 동네북이 됐다. 내가 이 회사를 더 다녀야 하는 게 맞을까?

2020년 5월

관리하던 직원으로부터 성희롱을 당했다. 난생처음 겪어보는 일에 머릿속에 하얘졌다. 당황스럽기도 하고 화가 치밀어 올랐다. 팀장님은 내 얘기를 듣곤 대수롭지 않다는 듯 여겼다가 대표님이 이를 듣고 난리를 치자 갑자기 태세 전환을 하며 그 직원을 자르겠다고 했다. 손바닥 뒤집듯 바뀌는 태도에 화날 법도 했지만 오히려 개운했다. 퇴사해야겠단 생각이 확고한 결심으로 바뀌던 순간이었다. 그때 느꼈다. 애초에 날 보호해 줄 울타리 따위는 회사에 없었다는 걸. 그것도 모른 채 난 날 보호할 울타리를 열심히 만들고 있었고, 애써 스스로 쌓아 올린 보이지 않던 울타리는 내 자존감과 함께 바닥으로 힘없이 무너져 내렸다.

*

부모님께 퇴사하고 싶다고 얘기를 해야 하는데 입이 꽁꽁 얼어붙은 것처럼 쉽게 떨어지지 않았다. 퇴사를 얘기하는 순간 부모님은 반대할 거란 생각이 가득해서였다. 힘든 일이 있을 때 종종 부모님께 말하곤 했는데, 우스갯소리였겠지만 아빠가 첫 사회생활을 했던 일들을 얘기하시며 지금 세상이 좋은 거라 하셨다. 그런 부모님께 내 문제로 힘든 감정을 안겨주고 싶지 않았다.

퇴사 얘기를 언제 꺼내야 할지 고민하고 있던 와중, 같이 일하는 동료가 퇴사하겠다고 했다. 물론 다양한 이유가 있었지만 그중 하나는 자기도 승진해서 대리를 달면 나처럼 될까 봐 그게 마음에 밟힌다고 했다. 그 힘듦을 자기는 고스란히 받기 싫다고 말이다. 대표님이 내게 소리를 질렀던 모습들을 보고 퇴사를 결심했다고 했다. 대표님이 내게 화를 낼 때마다 난 늘 내 탓하기 바빴다. 나는 도대체 왜 이런 실수를 했을까, 도대체 무엇이 문제였을까, 난 왜 이 정도 밖에 하지 못할까, 내가 과연 무엇을 더 해낼 수 있을까. 스스로 채찍질을 하고 또 하길 반복했다. 모든 순간순간이 내가 문제여서 일어난 것이라 생각했는데, 그게 아니었다. 대표님이 내게 보였던 행동들이 누가 봐도 올바르지 않았던 것이다. 난 내 자신을 탓하느라 그의 행동의 옳고 그름을 판단할 새가 없었다. 어쩌면 그 지경까지 이르게 된 걸 수도 있겠지만 말이다. 더 이상 이렇게 있을 순 없었다. 탈출해야만 했다. 무슨 용기가 생겼는지 퇴근하자마자 부모님께 전화를 걸었다.

"나 퇴사하고 싶어."

최대한 울지 않으려고 덤덤하게 얘기했지만 떨림이 가득했다. 부모님께 실망을 안기더라도 어쩔 수 없다고 생각했다. 설령 이기적인 행동일지라도 살고 싶었던 마음이 더 컸다. 부모님께 그간 있었던 일과 지금 느끼고 있는 내 감정을 얘기했다. 하지만 내 걱정과 달리 부모님은 너무나도 포근한 목소리로 답을 보내왔다.

"응. 네가 힘들면서까지 다닐 필요 없어. 그동안 고생했어."

옆에 분명 부모님이 없는데도 순간 내 몸과 마음이 따뜻해졌다. 모든 불편함이 한순간에 정리되며 마음의 짐도, 답답했던 현실도 깨끗하게 씻겨 내려가는 기분이었다. 언제나 부모님은 내 편이라는 걸 또 잊고 있었다. '이럴 줄 알았으면 조금 더 일찍 얘기할걸.' 그간 고생했다고 따뜻하게 말해주는 부모님의 말씀에 후회의 생각도 잠시 한참을 울었던 것 같다. 그렇게 나는 회사를 그만두게 됐다.

*

퇴사를 하면 모든 것이 해결될 줄 알았다. 그러나 큰 오산이었다. 막상 퇴사를 하니 해방감은 잠시, 공허함이 날 괴롭혔다. 하루에 많게는 200~300개 이상의 이력서를 보고, 100명이 넘는 사람들과 통화를 했다. 계약서 작성과 고객사 미팅이 있을 땐 외근도 잦았다. 20곳이 넘는 고객사를 관리해야 했고, 모든 직원은 나를 통해 요청 사항을 해결하다 보니 카톡 알람은 늘 999+를 유지했다. 그만큼 내 핸드폰은 하루라도 조용할 틈이 없었는데, 퇴사를 기점으로 쥐 죽은 듯 조용했다. 그도 그럴 것이 사용하던 번호를 해지했기 때문이다. 일부 유예 기간만 남겨두고 번호를 없앴다. 완전히 벗어나고 싶어 내가 한 선택이었다.

그러나 해지했다는 사실을 까맣게 잊어버린 채 몇 분 단위로 핸드폰을 확인하고 있었다. 연락이 없으니 갑자기 불안해졌다. 내가 바라서 한 일인데 결과를 받아들이지 못하고 오히려 힘들어하고 있다니. 그러다 문득 더 이상 쓸모없는 사람이 된 느낌이 들었다. 이렇게 생각하면 안 된다는 걸 알면서도 내 존재 자체를 스스로 부정하기 시작했다. 갑작스레 생긴 공백 또한 감당하기 어려웠다. 자존감은 바닥나 있지, 무계획으로 한 퇴사에, 처음 경험해 보는 백수 생활은 공포 그 자체였다. 부지런히 생산성 있게 살아야 한다는 강박도 커지며 점점 나를 옥죄어 왔고, 그 틈을 타 우울증이란 녀석은 스멀스멀 내 안의 공간을 차지하기 시작했다.

'나 어떡하지?'

뭘 해보고자 했지만, 아무런 의욕도 생기지 않았다. 재취업의 욕구도 없었다. 왜 이러는지 이유를 나도 알고 싶었지만 딱히 그럴만한 이유를 찾지 못하니 답답할 뿐이었다. 무계획의 백수 생활이 지속될수록 되는 일은 없었고, 감정 기복은 더 심해져만 갔다. 말수도 점점 줄고 밥은 때를 놓치기 일쑤였다. 한 달도 안 돼 5킬로가 빠진 걸 확인하곤 이러다 생활이 불가능하겠다 싶어 억지로라도 밥을 먹기 시작한 것 외에 내가 노력하고 있는 것은 없었다. 나에게 어떠한 에너지도 남아있지 않았다는 걸 너무나도 크게 느끼고 있었다. 내게 왜 이런 상황이 오게 된 걸까? 당최 받아들일 수가 없었다.

병원에 가볼 생각도 있었다. 하지만 병원은 치유보단 병명을 진단받음으로써 환자로 인식되는 곳이란 느낌이 더 강했다. 환자의 의미는 정말 말 그대로 병들거나 다쳐서 치료를 받아야 할 사람이니까. 나는 강한 사람이라 생각했다. 그래서 더더욱 전문가의 힘을 빌려 나를 어떠한 병명을 가진 사람이라고 각인시키고 싶지 않았으며 심리적인 문제가 아닌 정신적인 문제가 있다고 결단 내리는 것도 내키지 않았다. 결국 병원은 가지 않았다.

그렇게 시간을 보내던 어느 날이었다. 쇼핑이라도 하겠다며 기분 전환을 해보겠다고 이 옷 저 옷 입어보며 어떤 게 괜찮은지 친구들이 있는 카톡방에 사진을 보냈는데 옷과는 전혀 관련 없는 대답이 돌아왔다.

"…옷이 문제가 아니라 네 얼굴을 좀 봐. 해골 같아. 생기가 없어."

그 말을 듣고 멋쩍은 웃음을 지으며 앞에 있는 거울을 봤는데 부정할 수가 없었다. 친구들에겐 아니라며 괜찮다 했지만 이제 와서 솔직하게 말하건대 말없이 가만히 있었다. 아마도 그때부터 건강함을 찾아야겠다고 마음먹었던 것 같다. 이 무너진 마음을 어떻게 회복시킬 수 있을지 계속 고민했다. 우선 철저히 고독해질 필요가 있었다. 누구에게도 의존하지 않아야 어떤 상황이 와도 혼자 이겨낼 수 있을 거라 생각했기 때문이다. 혼자 있는 시간을 점점 늘려가며, 자생할 방법들을 찾기 시작했다. 주체성을 가지고 사는 연습을 해보기 시작한 것이다. 만약 스스로 이겨내는 방법을 찾지 않고 남들에게 의존하며 이 힘듦을 극복하려 했다면 지금의 나는 없었을지도 모른다.

기둥 세우기

퇴사를 앞둔 직원과 면담할 때였다. 해오던 업무가 적성에 맞지 않아, 자신이 바라는 다른 꿈에 도전하기 위해 퇴사를 선택한 친구였다. 그 친구의 말에 경청하며 서로 이런저런 얘기를 나누던 중 내게 취미가 무엇이냐 물었다.

"저는 취미 부자예요. 뜨개질도 좋아하고, 운동도 하고, 맛있는 커피를 마시러 나가기도 해요. 아, 책 읽는 것도 좋아해요. 그리고 그림도 그리고, 피아노도 치고, 영화 보는 것도 좋아해요. 그래서 그런지 그때그때 끌리는 걸 하는 것 같아요."

"궁금증이 해결됐어요. 다라님이 참 단단해 보였거든요. 기둥이 되게 많으시네요. 사람이 무너지는 건 한순간이라고들 하잖아요. 별 이유 없이 갑자기요. 사람마다 각자 가지고 있는 기둥이 있는데, 그 기둥이 많을수록 쉽게 무너지지 않는대요. 기둥이 한 개면 힘없이 무너지겠지만 여러 개면 버틸 이유가 충분하잖아요. 저도 그래서 기둥을 만드는 게 중요하다고 생각해서 퇴사하는 건데, 다라님은 이미 여러 개의 기둥이 있으시네요. 부러워요."

한 사람의 내면이 얼마나 단단한지는 겉만 봐서는 모른다. 그 사람과 시간을 보내며 대화를 나눌 때 비로소 느낄 수 있다. 기둥이라고 하나 내세울 것 없던 내가 지금 이렇게 단단한 사람으로 보일 수 있는 건 지난 시간 무너져 있던 기둥들을 하나씩 다시 이어 붙이고 견고하게 세우는 작업을 계속해 왔기 때문이 아닐까?

백수가 됐지만 취업을 바로 하고 싶진 않았다. 정신적으로 지쳐 있었기에 쉬고 싶기도 했고, 이왕 이렇게 쉬게 된 거 지겨워질 때까지 쉬어보자는 생각도 있었다. 그런 상황에 내가 할 수 있는 최선은 산책하기와 TV 보기였다. 그래도 언제까지 이렇게 지낼 수는 없다는 생각이 들었다. 나중에 취업을 다시 한다고 하면 전/후로 달라진 게 하나쯤은 있어야 하지 않겠는가. '자존감만큼은 회복해 보자!'는 생각이 스쳤다.

회사에서처럼 큰 목표를 세우고 실천하기엔 제약이 많았다. 그래서 작은 걸로도 성취를 충분히 느낄 수 있는 것들을 찾아보기로 했다. 가장 쉬운 건 책 읽기였다. 눈으로 진도도 확인할 수 있고 읽고 나서 느끼는 바가 있으니 훌륭한 기준이 아닐 수 없었다. 그다음은 뜨개질을 시작했다. 당시 티코스터 만들기가 유행하고 있었는데, 나도 한 번쯤 만들어 보고 싶다는 생각이 들었을 때였다. 그 뒤로는 오일 파스텔에 도전했다. 다른 생각 할 겨를 없이 작품에 집중할 수 있어 좋았고 단시간에 완성이 가능했다. 더불어 예쁜 결과물도 얻을 수 있으니, 일석삼조란 생각도 들었다. 어떻게 보면 이것저것 궁금한 게 생기면 고민도 하지 않고 다 시도해 본 것 같다. 그러다 보니 다양한 취미생활을 하게 됐고, 자연스레 할 수 있는 것들이 많아졌다.

그림 작품들이 점점 쌓이고, 티코스터도 공장을 가동한 것처럼 계속 만들어내니 소소한 성취감이 보람이 됨과 동시에 내가 살아있음을 온전히 느낄 수 있었다. 무언가에 열중한 적도 오랜만이라 희열도 느껴졌고, 다른 것도 도전해 보고 싶단 자신감도 생겼다. 그리고 무엇보다 틀려도 괜찮다는 것이 좋았다. 취미라서 틀리면 시간을 들여 다시 하면 되고, 잘 안되더라도 나만 괜찮으면 됐기에 많은 위로가 됐다. 천천히 꾸준히 하면 다 되더라. 생각보다 난 많은 것을 해낼 수 있는 사람이었다.

어쩌면 지금 꼬였다고 생각하는 내 인생도 급하게 달려서 잠시 넘어진 게 아닐까 생각했다. 뛰는 방법을 몰랐던 것이라고. 이제 알았으니 다시 한번 한 발짝 내디뎌 보자고 말이다. 취미가 하나씩 늘어남에 따라 나의 달리기 준비는 점점 완성되고 있었다. 부서진 기둥 틈도 조금씩 메워져 갔다.

어느새 나는 단단한 사람이 되어있었다. 내 기둥들이 오늘의 나를 만든 것이다. 지금은 오히려 어떤 기둥을 하나 더 세울지 즐거운 고민을 하고 있다. 설령 무너진다 한들 다른 기둥들이 있어 괜찮다. 더 이상 불안이 두렵지 않다.

여러분에겐 어떤 기둥들이 존재하는가? 한 개인가 아니면 여러 개인가?

퇴근길의 재초점

    백수 시절, 일정을 마치고 한창 퇴근길인 버스에 올라 제일 좋아하는 바깥 구경을 하며 밖에 있는 사람들을 관찰하고 있을 때였다. 저 멀리 보이는 정류장에 6살 정도로 보이는 여자아이와 엄마가 서 있었다. 누구를 기다리는 듯했다. 버스 안을 보니 한 중년의 남자가 피곤한 표정을 가득 머금은 채 내릴 준비를 하고 있었다. 아이의 아빠였다. 그는 아직 두 사람을 발견하지 못한 듯했다. 그러나 곧 발견하곤 표정이 세상 달라졌다. 피곤함은 온데간데없고 '이 맛에 내가 힘들어도 버티지'란 생각이 들 정도로 행복한 표정을 짓고 있었다. 그 표정을 보고 퇴근길에 대해 다시금 생각해 보게 됐다.

    퇴근은 직장이라면 누구나 바라는 단어다. 다만 퇴근이 목표가 되면 안 되고, 내 삶 하나의 일과로 마침표를 찍는 수단으로 바라볼 필요가 있다. 아이의 아빠가 퇴근을 끝내고 딸을 볼 때 기쁨을 느꼈던 것처럼 말이다. 입 밖으로 꺼내진 않았지만 '퇴근만 하면 내 소중한 가족을 볼 수 있어!'라는 생각을 하고 있었을지도 모른다. 그 이후로 일이 생기면 '지금은 힘들지만, 끝나면 이게 기다리고 있어!'로 생각 회로를 돌려보기 시작했다.

    6개월이란 공백을 보내고 취업에 성공했다. 다른 사람들의 이력서를 수천 번은 살펴봤고, 면접 코칭까지 해주던 나였는데 막상 내 이력서를 메이크업해 보려 하니 막막했다. 누가 농담으로 인사팀은 본인

서류를 제일 볼 줄 모른다고 했는데 내가 지금 딱 그 상황이었다. 심지어 정말 내가 인사팀이라 반박 불가였다. 서류는 지원하는 족족 떨어졌고, 면접에 간다고 해도 최종까지 가지 못했다. 그래도 나름 세워둔 기둥들의 효과가 나타나는지 불안함보다는 다시 도전하면 된다 나 스스로를 격려했다. 분명 해내리라 믿었다. 이력서를 다시 다듬고, 엉성했던 답변은 모난 곳 없이 둥글게 만들어 보는 과정을 반복했다. 그러다 보니 매주 1~2곳 면접을 보기 시작했고, 그렇게 두 달이 지나 가고 싶은 회사를 골라 갈 수 있는 최고의 행운까지 갖게 됐다. '나'를 믿고 꾸준히 도전해 온 결과였다. 온전히 스스로 해냈다는 사실이 자랑스러웠다. 드디어 내 안이 꽉 채워졌다.

입사 후 새로운 업무 인계부터 회사 적응까지 이런저런 일들로 야근이 잦다. 오늘 퇴근도 어김없이 힘들었지만 잘 이겨낸 것도 어쩌면 '퇴근 후에!!!'라는 말을 계속 되뇌어서 그런 게 아닐까 싶다. '어찌 됐든 퇴근만 하자'보다는 '좀 버거웠지만 퇴근하고 아침에 보다가 만 영화 보러 가야지! 친구랑 치맥 해야지!'와 같은 관점으로 생각을 전환하니 퇴근을 대하는 나의 기분도 많이 달라짐을 느낀다. 그래서 그런지 퇴근 후에 항상 뭘 할지 행복한 고민을 하는 날 종종 발견한다.

행복을 느끼는 사람들은 향상적인 목표 설정을 잘 한다고 했다. 퇴근이란 단어가 언제나 들어도 설레고 기운이 나는 것처럼 작은 부분일지라도 긍정적 재초점이 필요하다. 물론 처음에 어려울 수 있다. 그래도 하다 보면 나도 모르는 사이 행복에 부쩍 가까워지고 있을지도

모른다. 오늘도 퇴근하고 맛있는 저녁을 먹으러 갈 생각에 행복한 나
처럼!

원영적 사고가 필요한 때

국어사전에서 '때문에'는 어떤 일의 원인이나 까닭을, '덕분에'는 베풀어 준 은혜나 도움을 뜻한다. 그래서 '때문에'는 조금 더 부정적인 맥락에서 자주 나타나는 경향이 있다. 그렇다고 매번 부정적인 상황일 때 사용되는 단어는 아니니 성급한 일반화를 유의하자.

같은 세 글자인데 가지고 있는 의미는 너무나 다르다. '때문에'라는 단어가 들어가면 아무래도 어떤 상황에 놓여 있을 때 더 탓하게 되는 것 같다. '때문에' 앞에 붙은 무언가에 책임을 돌리며 마치 나는 이 일에 아무런 상관이 없다는 듯, 불편한 상황을 벗어날 하나의 탈출구로 이용하는 것이다. 생각해 보면 난 늘 탓할 거리를 찾아 헤맸던 것 같다. 회사에서 잘하는 건 당연한 거고, 못 하는 건 왜 못 해냈는지에 대한 이유가 늘 필요했으니 말이다. 시간이 갈수록 강점보단 약점이 더 크게 보이기 시작했다. 자연스레 자존감이 낮아질 수밖에 없었다.

한 줄기 빛도 희망도 보이지 않아 퇴사를 했지만, 회사를 다닌 게 마냥 무의미하진 않았다. 사회에서 쌓은 소중한 인연들이 내 옆을 자리하고 있었다. 그중 한 명과 오랜만에 만나기로 한 날이었다. 언제나 그랬듯 그간 있었던 일들에 대해 우린 얘기를 나누기 시작했다. 난 내 얘기보단 상대방의 얘기를 듣는 걸 더 좋아하는데 그래서 그런지 사람들이 고민이나 힘듦을 내 앞에서 많이 털어놓곤 한다. 그들의 고민을 듣고 있으면 좋은 상황은 아니기에 어떻게 위로의 말을 건넬지 고민

했겠지만, 오늘은 달랐다. 힘든 얘기를 들어도 편했고 오히려 기운도 났다. 어떤 해프닝이 있어도 결과를 기회로 보는 시선의 차이 때문이었다.

보통은 힘든 하루를 보내면 힘들다는 '감정'에 더 초점을 맞춰 내 힘듦을 알아 달라 상대방에게 신호를 보낸다. 하지만 힘든 하루 속 얻은 '기회'에 더 초점을 맞추면 상황은 완전히 달라진다. 팀장님이 갑자기 말도 안 되는 일을 시켜서 속으로 화는 났지만 그래도 어떻게 보면 돈 주고도 못 사는 경험이라 생각한다거나 실수해서 고객사에 컴플레인을 받아 속상하지만 그래도 덕분에 이렇게 하면 안 된다는 걸 알게 됐다는 것처럼 말이다. 문득 나의 지난날들을 회상하게 됐다.

채용이 잘 안될 때면 늘 변명할 거리를 찾던 내 모습이 떠 올랐다. 이 방법은 쓰지 말아야지 보다는 이 방법 때문에 실패했다는 생각만 가득했으니 다른 게 머릿속에 들어올 리 없었다. 충분히 성장할 수 있는 포인트를 찾을 수 있었음에도 스스로 막은 게 아닐까 싶었다. 그래서 나도 기회를 찾아보는 연습을 시작했다. '덕분에'를 입에 달고 살아보기로 한 것이다.

A: 아, 이 프로젝트 때문에 잠도 못 자고 피곤해 죽겠어. 언제 끝나지?
B: 아, 좀 피곤하긴 하지만 이 프로젝트 덕분에 그래도 많이 배우는 것 같아.

두 문장의 느낌이 완전히 다르지 않은가? 이처럼 덕분에를 사용하면 조금이라도 긍정의 해석이 가능해진다. 탓으로 돌리지 않고 덕분에를 사용하면 무엇이 감사하고 어떤 기회를 찾게 됐는지 알게 된다. 이미 많이 알고 있는 내용일 수도 있겠지만 그럼에도 내가 글을 통해 강조하는 이유는 그만큼 실천하기 쉽지 않아서다. 익숙한 말이 입에 더 잘 붙지, 해보지 않은 말은 내뱉기도 어렵고 생각 단계까지 가는 것 또한 어렵다. 그러나 어렵더라도 해보는 노력이 필요하다.

글을 쓰고 있는 지금은 한창 장마철이다. 해가 쨍쨍하다가도 갑자기 요란스럽게 내리는 비에 사람들은 한가득 짜증이 가득하지만 난 오늘도 "비가 갑자기 와서 좀 그렇지만 그래도 덕분에 카페에서 운치 있는 풍경을 볼 수 있네! 완전 좋잖아!"란 생각을 해본다. 요즘 말하는 '원영적 사고'다. 원영적 사고란 '모든 일의 끝은 나에게 긍정적이고 좋은 결과로 이어진다'고 생각하는 사고방식을 뜻하는데 걸그룹 IVE 장원영으로부터 시작돼서 원영적 사고가 탄생하게 됐다.

"우리는 이런 걸 해야 해. 이건 하지마."와 같은 have to 사회에 익숙해져 있지만, get to로 바라보는 원영적 사고로 시선을 전환할 때가 아닐까?

나 홀로 프로젝트

생각해 보면 무엇이든 혼자 하는 걸 그다지 좋아하지 않았다. 밥을 먹을 때에도, 놀러 갈 때도 심지어 카페를 갈 때에도 항상 누군가와 함께했다. 혼자 밥을 먹어보려 했지만, 왠지 사람들이 다 나를 쳐다보고 있을 것만 같은 느낌에 음식점으로 향하던 내 발걸음은 뒷걸음치기에 바빴다. 아마 나처럼 생각하는 사람들이 분명 많을 거라 생각한다. 다만 나의 경우는 너무 '함께'에 모든 것이 맞춰져 있었던 게 문제였다. 항상 함께하다 보니 결정권을 넘겨버리는 경우가 많았고, 이슈가 터졌을 때도 상대방 옆에서 근심 가득한 얼굴로 지켜보며 해결해 주길 바랐다. 의존도가 엄청나게 높았던 것이다. 그럴수록 자립성은 떨어져만 갔다. 오죽하면 엄마도 내 전화에 "제발 엄마한테 물어보지 말고 네가 알아서 해."라고 말할 정도였으니까.

자존감을 회복해야 하는데, 내 스스로 결정할 힘이 없으면 무슨 소용인가 싶었다. 내게 주어진 환경에서 가장 큰 결정들을 해볼 수 있는 게 무엇인지 고민했다.

"여행을 가야겠어. 제주도로."

2020년 7월 13일, 혼자 제주도로 가는 비행기 티켓을 끊었다. 퇴사를 한 지 2주도 안 돼서 내린 과감한 결정이었다. 한창 장마가 시작할 때라 조금씩 비가 쏟아지고 있어 공기가 무거웠지만 내 마음만큼은 깃털처럼 가벼웠다. 혼자 여행을 가는 것도 처음이었고, 공항을 가는 것도, 비행기를 타는 것도 처음이었기에 걱정보단 설레는 마음이 더 컸다. 그렇게 제주도에 도착했다. 분명 몇 번이고 온 제주도인데 오늘따라 더욱 낯설게 느껴졌다. 혼란도 잠시, 내 앞에 미션들이 하나둘씩 나타나기 시작했다. 렌터카 빌리기, 안전 운전해서 숙소까지 가기, 볼거리 정하기, 맛있는 음식점 알아보기 등등. 친구들과 갈 때는 크게 신경 쓰지 않았던 부분들이었다. 혼자인 지금은 내가 하지 않으면 아무것도 달라지는 게 없었다. 결정이든 뭐든 해야 했다. 혼자 처음부터 모든 걸 해야 하다 보니 친구들 덕분에 그간 여행을 얼마나 편하게 했는지 다시금 깨닫게 됐다. 미안하고 고마웠다. 역시 경험하기 전엔 모르는 건가.

제주도 첫날, 밥을 먹으러 식당에 갔는데 혼자 온 사람은 나밖에 없었다. 눈치가 보였지만 그래도 꿋꿋이 손을 들어 주문했다. 밥을 먹고 나오니 괜히 뿌듯했다. 내가 처음으로 시킨 메뉴, 전복 김밥. 그다음엔 카페에 들러 조용히 적막을 즐겼다. 내 귀엔 온통 바닷소리뿐이다. 마음이 편안하다.

제주도 둘째 날, 친구들과 갔던 카멜리아힐에 들렀다. 사실 계획 없이 간 제주도여서 무얼 할지 고민하다 그때 그 장소들을 다시 가보기로 했다. 한창 수국 철이라 수국이 예쁘게 펴있었고, 꽃이 가득한 정원을 보니 마음이 맑아지는 듯했다. 한편으론 사진 찍어줄 사람이 없다는 게 아쉬웠지만 오히려 이때를 계기로 눈에 담는 방법을 알게 된 것 같아 기분이 좋았다. 구석구석 오래 구경했다.

제주도 셋째 날, 책을 좋아해서 제주도에 있는 독립 서점을 가보기로 했다. 가장 기억에 남았던 '만춘서점'. 이름도 뭔가 정겹고, 길가에 무심히 자리 잡고 있는 서점이 마치 나에게 말을 거는 것 같았다. "내가 여기 우뚝 서 있는 것처럼 너도 설 수 있어."라고. 괜히 고마운 마음에 서점을 향해 크게 손을 흔들었다. '그래! 해볼게!'.

3박 4일의 제주도 일정을 마치고 집에 돌아온 날, 배가 고파 동네 근처 식당에 들렀다. 당당히 "사장님!"을 외치곤 메뉴를 주문했다. 식사를 마치고 나와 산책하는데 귀여운 강아지가 멀리서 힘껏 신나는 표정과 함께 내게 달려온다. 평소 같으면 핸드폰을 먼저 들었겠지만, 오늘은 가만히 강아지들의 표정을 관찰해 본다. 행복했다. 혼자라서 할 수 없는 것이 아니라 혼자서도 잘할 수 있고 충분히 즐길 수 있다는 걸 왜 몰랐을까? 제주도가 나한테 메시지를 보냈다. '혼자서도 잘해요.'

2024년 3월, 모임 약속을 핑계로 혼자 부산에 갈 때였다. 주말에 뭐 하냐는 회사 동료들의 질문에 부산에 간다고 했고 누구와 가냐는 질문이 자연스레 이어졌다.

"혼자요? 부산을요?"
"네! 혼자요. 너무 즐거울 것 같아요."

새벽 6시, 아침 일찍 부산행 기차에 몸을 실었다. 혼자 가는 부산 여행 소식에 몇 명은 놀랐지만 난 그저 즐겁기만 하다. 백수의 제주도 여행 이후 '여행'이란 단어만 들어도 설레는 이유는 무슨 일이 생길지 모르기 때문이 아닐까? 이번엔 또 어떤 챌린지들이 날 기다리고 있을지 궁금해졌다. 혼자서 뭐부터 해나가야 할지 쩔쩔매는 내 모습은 이제 없다. 불안을 즐길 준비를 하는 내 모습만 남아있을 뿐!

새로움 탐험기

나는 익숙한 환경에서 편한 사람들과 시시콜콜 얘기하는 것을 좋아한다. 즉 신경을 많이 써야 하는 자리는 웬만하면 가지 않는다는 얘기다. 그러다 보니 매번 같은 친구들을 만났고 본가에 내려가 부모님께 "친구 만나고 올게!"라고 말하면 엄마는 "누구? 희원이?" "엄마, 어떻게 알았어?"라고 할 정도로 내 관계의 범위는 늘 변함이 없었다. 그러다 어느 날 한 번은 민영 언니가 친구를 만나러 갈 예정인데 같이 가지 않겠냐는 제안을 했다. 물론 너무 부담이면 오지 않아도 되는데 너무 좋은 친구들이라 함께하면 좋겠다는 말도 덧붙였다. 그러곤 다시 한번 '좋은' 친구들이란 걸 강조했다.

언니의 말에 웃으며 "좋아요!"라고 대답했지만 사실 진심이 담기진 않았다. 낯선 환경에 있으면 모든 신경이 곤두설 수밖에 없고 여기저기 주의를 기울여야 하니 정신이 금방 피곤해질 것 같은 게 이유였다. 더불어 내 친구가 아닌 언니의 친구들이었기에 더욱 신경을 써야 하는 건 당연했다. 그래도 마음 한편으로는 좋은 친구들에 대한 호기심이 있었다. 어떤 사람들인지 만나서 확인하고 싶었으니까. 한껏 긴장감 그득한 채 언니와 함께 약속 장소인 잠실로 향했다.

한 식당에 도착하니 언니 친구로 보이는 두 명이 저 멀리서 우리를 반겼다. 처음 만나는 자리라 어색한 기류가 맴돌았지만, 붙임성 좋은 언니 친구들 덕분에 우리는 자연스레 즐거운 대화를 이어갔다. 언니 친구들의 직업은 약사였다. '우와, 약사라니.' 약사를 사적인 자리에서 보는 건 또 처음이라 너무 신기했다. 그러면서 동시에 나와는 너무 다른 부류의 사람들이란 생각이 들었다. 지금 생각해 보면 일종의 열등감이었던 것 같다. 한마디로 부러움의 대상이 된 것이다.

어떤 학창 시절을 보냈을까, 얼마나 공부를 잘했을까, 멋있고 부럽다는 생각이 머릿속에 가득 잠겼을 때쯤 언니들이 나에게 무슨 일을 하냐고 물어보았다. 인사팀에서 일을 한다고 하니 갑자기 폭풍처럼 질문이 쏟아지기 시작했다. 혹시라도 놓칠까 정신없이 대답하는데 회사 생활은 어디를 가나 다 똑같은 것 같아 웃음이 나왔다.

"다라야 너 진짜 멋있다. 나도 너처럼 멋있고 싶다."

순간 잘못 들었나 싶었는데 아니었다. 조용히 내 얘기를 경청하던 한 언니가 내게 한 말이었다. 난 내가 스스로 멋있다고 생각해 본 적이 없었다. 멋있는 일을 하고 있다는 생각도 해보질 않았다. 오히려 그들의 직업이 더 멋있고 그들의 일이 더 대단하다고 생각하고 있었는데, 나에게 멋있다고 하다니. 부러움의 대상이 내가 되다니. 내 안의 어딘가 불필요했던 유리천장이 깨지는 듯했다. 그때 처음 알았다. 나도 누군가에게 멋있는 사람일 수 있다는 사실을 말이다. 나는 충분히 멋있는 사람이었다.

민영 언니를 따라 모임에 나오길 잘했다는 생각이 들었다. 그리고 새로운 사람들과 만나 대화를 나누는 과정에서 내 기존의 편견들이 허물어져 가는 게 좋았다. 물론 익숙한 환경에서도 내 고집이 꺾이는 순간도 있지만, 내가 목소리를 낼 수 없는 낯선 공간일수록 나에게 새로운 환기가 될 수 있다는 것을 알게 됐다. 정말 좋은 언니들 그리고 멋진 친구들이었다.

그 일이 있는 뒤로 새로운 모임에 종종 나가곤 한다. 어떤 새로운 환기가 나에게 불지 기대하면서 말이다. 가끔은 하기 싫어도 해야 한다는 어른들의 말을 이해하지 못했는데 이제는 무슨 말인지 너무나 이해가 된다. 새로운 무언가를 깨닫고 싶다면 가끔 낯선 사람들이 있는 곳으로 스스로를 던져보는 건 어떨까? 생각보다 진귀한 경험을 하게 될 수도 있으니.

마음 모음집

건강한 나를 찾자고 시작한 재초점이지만 사람은 결국 관계 속에 있을 때 자유로움을 느끼는 아이러니함을 갖는다. 철저히 고독해지자 다짐했건만 사람을 다시 찾게 되는 건 어쩔 수 없나 보다. 혼자 시간을 보내면서 또 하나 깨달은 건 누군가의 도움을 받아야만 극복 가능한 것들이 있다는 것이었다. 예를 들면 격려의 말이 그렇다. 겉으로는 할 수 있다 스스로 말하지만 속마음은 그렇지 않은 경우가 많은데, 그럴 때 누군가 옆에서 격려를 해주면 걱정덩어리가 싹 사라진다. 약간 자신감을 샘솟게 만드는 윤활유 같은 역할을 한달까? 그래서 나 스스로 버티기가 정말 힘들면 때론 내 사람들에게 기대도 괜찮다는 생각이 들었다. 결코 내 주변엔 아무도 없지 않다. 날 응원해 주는 부모님, 친구들, 동료들…내 사람들이 있다. 그들과 대화를 나누며 위안을 받고, 용기를 얻고, 다시 나아갈 힘을 받는다. 그래서 언젠가부터 그들이 내게 건넨 말들을 흘려 넘기지 않고 저장하기 시작했다. 내 마음 깊은 서랍 속 한 곳에 넣어두었다가 필요할 때마다 꺼내 보고 또 꺼내 보는 것이다. 건강한 나를 만드는 마지막 퍼즐은 어쩌면 '관계'일지도 모른다.

네가 한 얘기를 가만히 곱씹어 보면서, 네가 혼자 얼마나 외로워했을지가 좀 느껴지더라고. 다라야, 넌 정말 특별하고 좋은 친구야. 너는 다른 사람에게 대가 없는 호의를 베풀기도 하고, 다른 사람의 아픔에 깊게 공감해 주고, 마음 넓게 먼저 화해의 손을 내밀 줄도 알고, 때로는 자기방어를 하고 싶을 때도 있는데 쿨하게 인정할 건 인정할 줄 아는 사람이야. 다른 사람들보다 더 따뜻한 마음과 눈으로 세상을 보고, 다들 그냥 지나치는 작고 사소한 것들에서 아름다움과 의미를 찾을 줄 아는 특별한 시각을 가진 사람이야. 네가 이렇게 좋고 특별한 사람이라는 사실은 누군가가 너의 그런 점을 알아보고 널 필요로 할 때든, 그 누구든 알아주지 않고 너를 찾지 않을 때든 상관없이 변하지 않고 그대로 있어.

힘내라는 말보다는 말없이 애슐리를 데려가는 게 더 힘이 된다는 글을 본 적이 있어. 그냥 데려가서 먹이고 편하게 쉬게 해주는 게 힘내라는 말보다 좋대. 그니까 담주 맛있는 거 먹읍시다~ 내가 삼~

나는 내가 일이 계속 잘 안 풀리거나 막 그러잖아? 그러면 진짜 긴 터널을 지나고 있다고 생각해. 언제 밖이 나올지 모르니까 답답하고 무섭고 걱정도 되는데 결국엔 밖으로 나오잖아. 그래서 지금 내가 뭔가 잘 안돼도 조금만 버티고 묵묵히 가다 보면 희미한 빛이 보이기 시작하고 그 빛은 점점 커져서 결국 내가 원하는 밖으로 나갈 수 있다 믿어. 난 그래.

대리님, 제가 요즘 보는 드라마에서 주인공이 "운을 모으다"라는 표현을 했거든요. 잘 안 풀리면 나는 지금 운을 모으고 있는 거고 그러다 잘 풀리면 그 운을 쓴 거래요. 대리님은 지금 운을 모으고 계신 거예요. 그래서 그 주인공도 그냥 하루하루 열심히 성실하게 검소하게 살아갈 수밖에 없다고요. 그냥 열심히 살다가 잘 안 풀리면 운을 모으고 있는 시기라고 생각해요. 마일리지처럼 모았다가 터뜨리겠죠. 뭐! 그러니까 너무 좌절하지 마세요.

감사해요 다라님. 내 리텐션 다라님.

주변에서 나에게 전하는 온기들을 차곡차곡 쌓다 보니 어느새 내 안을 따뜻하게 꽉 채운다. 그리고 나를 보호하기 위해 시작했던 홀로 서기 프로젝트와 긍정 재초점 그리고 기둥 세우기는 내 내면의 심지를 단단하게 만들어주었다. 덕분에 잘 해야만 한다는 부담감을 잠시 내려놓고 주변을 둘러볼 여유가 생겼고, 무작정 빠르게 달리는 것이 아닌 내 페이스에 맞춰 달리는 방법을 배울 수 있었다. 일상에 숨 고르기 시간이 생기니 그동안 미처 발견하지 못했던 행복들이 눈에 보이기 시작했다. 커피를 잠시 즐기는 여유, 퇴근길 예쁜 노을, 버스에서 바라보는 서울의 멋진 야경, 출근길 살랑이는 바람에 좋아지는 기분까지. 큰 행복은 아니더라도 이런 소소한 행복들을 하루에 많이 느낄 수 있다는 그 자체가 좋았다.

행복의 모양과 크기는 사람마다 다 다르다. 그래서 더욱 행복의 정의를 내리기에 어려울 수 있다. 대충 이러한 모양이지 않을까 지레짐작할 뿐이다. 지금까지 행복을 찾을 수 있는 긍정적 재초점에 대해 얘기했지만 가장 선행되어야 하는 전제가 있다. 바로 행복의 기준을 작은 것부터 시작할 것 그리고 충분히 누릴 것. 건강한 행복을 이루기 위한 가장 기본이자 제일 중요한 핵심이다. 별거 아니라고 생각하는 것에 행복을 먼저 주어야 한다. 그래야 행복이 따라올 수 있다. 자주 행복을 느끼면 일상에 활력이 생기고 다른 곳에 도전할 힘을 얻는다. 주변에도 좋은 에너지가 전해지는 걸 경험할 수 있다. 거창한 행복보단 이런 작은 행복에 집중해 보면 어떨까? 그러려면 행복의 기준을 재정의하는 과정이 필요하겠지만 행복을 자주 느끼다 보면 분명 건강함까지 찾을 수 있으리라 기대한다.

그런 점에서 여러분의 행복의 모양은 어떠한가? 오늘 어떤 작은 행복을 누렸는가?

책을 마치며

책을 쓰기까지 많은 고민을 했다. 그러나 잊으려고 할수록 더 선명하게 기억에 남으니 오히려 덤덤하게 받아들이는 것이 내 감정들을 가볍게 흘려보낼 방법이란 생각이 들었다. 마음에 오래 들어앉았던 묵은 감정들을 보내야 새로운 것들로 채울 수 있으니까. 책을 쓴 뒤에도 나의 건강함 찾기 프로젝트는 계속될 것이다. 그리고 내가 지금과 같이 스스로 일어설 수 있게끔 많은 도움을 준 그대들에게 감사 인사를 전한다. '건강한 행복'과 친해지길 바라며

고마운 사람들

부모님, 동생들, 강문정, 경미래, 김고은, 김동윤, 김민영, 김별, 김선유, 김영은, 김충현, 김현지, 나수아, 맹주형, 박다운, 박문규, 박수지, 박정후, 박지용, 박희원, 백지혜, 서주희, 손연화, 신은아, 오아름, 유재희, 유현재, 이도경, 이소영, 이승인, 이여경, 이윤영, 이재인, 이진경, 임희주, 장세화, 정선영, 정익현, 정지연, 정희은, 조승민, 주소연, 채희진, 최준. 마지막으로 우리 꽁이 그리고 나.

여러분 덕분에 지금의 제가 있을 수 있었습니다. 건강한 나로, 단단한 나로 만드는 과정에 따스한 힘이 되어 주셔서 고맙습니다. 서운해할까 봐 가나다순으로 적었으니 이해해 주시길 바라요. 더 열심히 심지 곧은 사람으로 살아보겠습니다.

어쩌면 자존감이 전부일 수도

우윤서

우윤서　　이것저것 경험하는 걸 좋아하는 사람. '굳이'라는 말을 자주 쓴다. 굳이 어떤 걸 해보지 않으려고도 하지만, 굳이 어떤 일에 도전하는 걸 즐긴다. 누군가에게 마음을 주면 그 마음이 오래간다. 대상이 사람이든 동물이든. 내 바운더리에 들어온 존재면 누구보다도 아낀다. 표현이 부족할지는 몰라도 그 마음만큼은 누구보다 크고 깊다.

앞으로도 그런 존재들과 여생을 함께하고 싶다. 그게 행복이라고 생각한다.

독일의 심리학 전문가인 슈테파니 슈탈은 모든 문제의 근원은 자존감과 관련이 있다고 해도 과언이 아니라고 했다. 자존감이 올바르게 형성되어 있지 않으면 세상을 있는 그대로 혹은 긍정적으로 바라보기 힘들다. 따라서 별 뜻 없이 한 말도 누군가는 공격으로 받아들여 화를 낸다. 또 다른 누군가는 아예 회피를 해버린다. 결국 이들은 이기적이거나 이상한 사람이 되어 인간관계에 브레이크가 걸리고 만다. 나 그리고 나와 가장 가까운 사람들 역시 브레이크에 걸려 넘어지고 말았다.

봄날의 연애

8년 만에 하는 연애는 내게 선물처럼 느껴졌다. 주변 사람들의 이야기, 영화나 드라마를 통한 대리 설렘이 아니라 정말 오랜만에 내가 그 주체가 되어 느껴지는 설렘이었다. 온 세상이 환해지고 꽃밭 같아 보인 정도는 아니었지만, 적어도 웃는 횟수는 늘었다. 이런저런 우여곡절도 많고 외로웠는데 확실한 내 편이 하나 생긴 것 같아 든든했다.

지인의 소개로 만난 그는 신기하리만큼 처음부터 대화가 잘 통하는 사람이었다. 지루할 법한 이야기도 흥미롭게 들렸다. 그 역시 나를 궁금해하고 내 이야기에 경청해 주었다. 외모나 성격이 내 이상형에 딱 부합한 사람은 아니었다. 하지만 뭔가 통한다는 느낌과 다정한 모습에 빠져들었다. 얼마 후 고맙게도 먼저 만나보자는 말을 해줘서 우리는 그렇게 연인이 됐다.

이때 그의 고백을 받아주지 않았으면 지금까지의 일을 겪지 않아도 됐을까?

드라마의 슬픈 장면에선 보통 비가 오지

그날은 마치 내가 드라마 속 여자 주인공이라도 된 듯 극적이었다.

흔히 5월 하면 따스한 날씨가 떠오르기 마련이다. 5월의 신부라는 말이 있을 정도로 날씨가 좋아야 하는 날이 많은 5월의 어느 날, 그날 만큼은 하늘에 구멍이 났나 싶을 정도로 비가 주룩주룩 내렸다. 그래도 오랜만에 친구들과 여행 계획을 짜기로 약속한 날이니만큼 마음만은 햇빛 쨍쨍 화창했다.

난 유독 더 부푼 마음을 지닌 채 길을 나섰다. 8년 만에 내 연애 소식을 알리러 가는 날이었기에. 말을 꺼내는 타이밍은 언제가 좋을지, 어떤 단어와 말투, 표정으로 전할지 혼자 상상하며 지하철에서의 시간을 보냈다.

'나 도착했어. 이따가 출발할 때 연락할 테니까 푹 쉬고 있어!'

여느 때처럼 그에게 카톡을 보낸 뒤 밝은 얼굴로 친구들을 만났다.

한 친구가 케이크를 먹겠냐고 물었다. 마침 그 카페의 신상 케이크가 먹고 싶었던 나는 흔쾌히 수락했다. 2층에 있던 우리는 1층으로 주문하러 차례대로 내려갔다. 알록달록 맛있어 보이는 케이크를 주문한 뒤 잠시 대기하는 시간에 이때다 싶어 들뜬 표정과 목소리로 입을 열었다.

"나 남자 친구 생겼어!"

한껏 진심으로 축하해 주는 친구들의 얼굴에 어깨가 올라갔다. 마음 같아선 그 카페에 오는 모든 손님에게 케이크를 쏘고 싶은 생각까지 들었다.

　며칠이나 됐냐는 한 친구의 물음에 29일 됐다고 하니 친구는 귀엽다면서 웃었다. 그도 그럴 것이 이 친구는 한 남자 친구와 10년을 사귀었고, 내년에는 결혼까지 앞두고 있었다. 엄청난 선배님처럼 느껴졌다. 이 친구의 결혼식에 갈 때쯤 나는 남자 친구와 결혼 준비를 하고 있겠지라는 귀여운 설레발을 치는 상상을 해 봤다.

　그만큼 나는 이번 연애에 진심이었고, 진지했다.

이별에도 예의란 게 있어

집에 갈 때도 친구들은 날 놀리느라 정신이 없었다. 반년은 있어야 갈 여행에서도 남자 친구가 보고 싶어 하지 않겠냐며, 데려가야 하는 건 아니냐며 짓궂은 장난을 걸어왔다. 나도 덩달아 집에 오는 길에도, 집에 와서도 여전히 들떠 있었다. 하지만 여자의 촉은 무섭다고 했던 가. 아무런 근거는 없지만 평소처럼 나누던 대화에서 그의 반응이 무미건조하게 느껴졌다. 매일 하던 전화 통화에서도 마찬가지였다. 유독 그날만큼은 그가 대화에 적극적이지도 않고, 목소리에도 힘이 없는 듯했다. 요즘 일이 많아 피곤해서 그런가 보다 싶어 대수롭지 않게 여기며 통화를 이어갔다.

그런데 갑자기 핸드폰 너머의 목소리가 착 가라앉았다. 내 이름을 시작으로 다른 분위기의 말이 이어졌다.

"우리 이제 만난 지 한 달 정도 됐잖아."

새삼스러운 말로 운을 띤 그의 말에 뭔가 좋지 못한 예감이 들었다. 아니, 솔직히 열면 안 되는 판도라의 상자를 연 것처럼 꺼림칙했다. 애써 그 예감이 틀릴 수도 있다고 합리화하면서 차분하게 그의 말을 들었다.

"더 시간 낭비하기 전에 우리 인제 그만 만나자."

주절주절 이어지던 황당한 말끝에 그는 헤어짐을 꺼냈다. 그야말로 마른하늘에 날벼락이었다. 정작 이날은 장화까지 꺼내 신어야 하나 싶을 정도로 비가 쏟아지는 날이었지만. 예고도 없이 이별 통보라니.

그것도 친구들에게 남자 친구 생겼다고 자랑하러 다녀온 걸 뻔히 아는 사람이. 심지어 비겁하게 당일 밤에 전화로 이별을 말하다니.

사실 둘 다 30대에 접어들어 그는 내게 고백하던 순간에도 '시간 낭비'라는 말을 꺼냈었다. 서로의 시간이 소중한데 좋아하는 마음 하나만으로 만나는 게 맞을까 고민했다면서. 콩깍지가 씌었을 때는 이게 신중함으로 보였다. 그만큼 나와의 관계를 진지하게 생각하고 있어 보였다. 문제가 생기더라도 쉽게 포기하지 않을 것 같다는 인상을 받았다.

심지어 그는 자신의 치부 때문에 상처받을까 봐, 버림받을까 봐 이미 나에게 한 차례 이별을 고한 전적이 있었다. 그때는 내가 괜찮다고 말해 줬다. 그를 달래어 계속 만나기로 했다. 그해 저지른 내 최대 실수라고 할 수 있다. 이때 깔끔하게 끝내야 했다. 앞으로 잘하라는 나의 말에 웃으며 알았다고 하던 그의 말은 온데간데없이 사라져 버렸다. 아니, 마치 애초에 이 세상에 존재하지 않은 말이 되어버린 듯했다.

헤어진 이유의 요지는 이랬다. 처음 나에게 이별을 고했던 때 이후로 그는 내 사랑이 부담스러워졌단다. 속마음을 털어놓으면 본인이 더 마음 편하게 나와 만날 수 있을 줄 알았다고 했다. 본인이 괴로웠던 건 결국 내 탓이었다고 교묘하게 말하는 그에게 나는 해줄 말이 없었다. 아니, 말문이 막혔다는 표현이 더 정확하다.

연애 경험 자체는 많지 않았다. 그러나 간접 경험만은 풍부하다고 자부할 수 있었다. 하지만 그는 주변 사람들의 이야기와 각종 서사에 나오는 사랑과 이별 그 어디에서도 본 적 없는 유형이었다. 연애에서 이별이란 어긋난 타이밍, 상대의 조건이나 상황, 혹은 상대의 결함 따위 때문 아닌가. 그러나 우리의 이별은 그의 성향 때문이었다. 그는 애초에 사랑 자체를 부담스러워했다.

내가 원인이 아니었다.

사람과 함께 살다가 버림받은 유기견, 유기묘의 마음이 이런 걸까? 아무리 노력해도, 무슨 짓을 해봐도 상대의 마음이 이미 확고해서 도저히 손을 쓸 수가 없었다. 온갖 복합적인 감정이 파도처럼 밀려왔다. 끝장을 내든 말든 갑자기 전화로 남남이 되는 건 아니라고 생각했다. 짜증도 내보고, 원망의 말도 던졌다. 만나달라고 구질구질하게 매달리기까지 했다. 나 자신이 낯설어지는 순간이었다.

통화를 끝낸 뒤 내 얼굴은 햇빛에 말려 잔뜩 갈라지고 굳어버린 지점토 같았다. 30대에 접어든 그해부터 '기분이 태도가 되지 말자'라는 말을 되뇌며 살았다. 어른스러워지고 싶었다. 그런 다짐이 처참히 무너져 이 순간은 내가 나를 어떻게 할 수가 없었다. 이성의 끈을 놓친 지 오래였다. 누가 말을 걸어도 설명할 길이 없어 입을 열 수 없었다.

머릿속에 박혀버린 한 마디

R.ef가 부르고 빅스가 리메이크한 노래 '이별 공식'에는 이런 가사가 나온다.

햇빛 눈이 부신 날에 이별해 봤니? 비 오는 날보다 더 심해. 작은 표정까지 숨길 수가 없잖아.

내가 이 노래 가사에 공감하는 날이 올 줄이야. 장마철처럼 비가 내리던 전날의 날씨는 무색하게 다음날의 날씨는 정반대였다. 진짜 마지막으로 보는 이별 결전의 날에는 오히려 물기가 바짝 마를 만큼 쨍한 햇볕이 내리쬐었다.

우리 두 사람은 도시 중심부의 카페치고는 꽤 큰 단독 카페의 창가 자리에 마주 보고 앉았다. 내 왼쪽에서 내리쬔 강렬한 햇살 때문인지, 내 눈에 고인 눈물 때문인지 눈앞이 흐려졌다.

"덕분에 사랑받는 느낌이 어떤 건지 알게 됐어."

헤어지는 이틀 동안 들은 그 어떤 말보다 충격적이었다. 한창 사귀는 와중에 들었다면 로맨틱한 말로 들렸을 수도 있겠다. 분명히 얘기하지만 우린 고작 한 달 사귄 사이였다. 그 짧은 기간에 내가 보여준 사랑이 얼마나 많았다고 이런 말을 하는 건지 이해가 되지 않았다. 차라리 그동안 자신을 사랑해 줘서 고마웠다는 뜻이었다면 진부한 이별 대사 중 하나로 치부해 버렸을 것이다. 하지만 살면서 사랑다운 사랑을 처음 받아봤다는 뜻이었다. 이 말에 비하면 헤어지자는 말의 강렬함과 고통은 새 발의 피였다. 헤어지자는 말 정도야 직접 해본 적도,

들은 적도 있으니까. 생소한 뜻을 지닌 말을 30대 남자에게 차이면서 들을 거라고 누가 감히 상상이나 했을까? 그도 연애가 처음이 아니었는데 이게 가능한 이야기인가?

이 남자는 대체 어떤 인생을 살아온 걸까? 대충 들은 적은 있다. 하지만 더 자세히 알고 싶으면서도 알기 싫었다. 사랑은 받아본 사람만이 줄 수 있다던데 이 사람한테 사랑을 받았다고 느꼈던 게 진짜 사랑이 맞았을까? 사랑이라는 이름으로 내게 들려준 말, 보여준 행동, 작은 배려 하나하나 다 그저 연인이라면 으레 이런 식으로 구니까 전부 따라 했던 건 아닐까? 어디서부터 어디까지가 진심이고 연기였지? 의문투성이 구렁텅이에 끊임없이 빨려 들어갔다.

정작 이 남자가 부담스러웠다던 나의 사랑은 아직 제대로 준 것도 아니었다. 원체 내 안에는 줄 수 있는 사랑이 넘쳤다. 본격적인 사랑은 주지도 못한 상태였단 말이다. 오히려 표현 자체는 상대가 더 많이 했다. 본인도 그걸 알았다. 나의 소소한 애정 표현이 부담으로 느껴지는 게 이상해서 고민이 많았단다. 양심은 있는지 그는 거의 말끝마다 미안하다고 했다. 오죽하면 내가 사과를 그만하라고 할 정도였다. 그렇게 사귄 지 딱 30일째 되는 날, 우리는 다시는 보지 않기로 했다.

내가 이상하다

헤어진 뒤 으레 겪는 후유증을 겪었다. 작은 자극에도 울음이 나는 반면에 웃음은 잘 나지 않았다. 그런데 슬픈 와중에도 좀 이상하다는 생각이 들었다. 원래 알던 사이라 정이 깊이 든 것도 아니었고, 고작 봄에만 알고 지낸 사람과 헤어진 건데 이렇게까지 힘들 필요까지 있나 싶었다. 원래의 나 같으면 며칠 울적하다가 일상으로 돌아가야 했다. 우리가 무슨 3일 만에 만남과 죽음까지 다 겪은 로미오와 줄리엣도 아니지 않은가. 그럼에도 드라마를 보면 주인공이 울 때마다 나도 따라 울었다. 아무렇지 않게 지내다가도 어느 순간 훅 무너져버렸다.

내 SNS의 알고리즘은 온통 이별과 관련된 콘텐츠로 변해버렸다. 심리학과 관련된 온갖 영상과 글로 가득 찬 걸 보며 한숨만 나왔다. 그렇다, 내 일상이 송두리째 이 이별에 지배당하기 시작했다. 이 갑작스러운 이별이 이해되지 않은 게 화근이었다.

이별의 원인을 찾던 중 '나르시시스트'와 '에코이스트'라는 심리학 개념을 공부하게 됐다. '나르시시스트'는 자신을 특별한 사람으로 생각하며, 칭찬과 인정을 갈구하는 등 타인을 착취하는 특징을 보인다고 한다. 반대로 '에코이스트'는 자신의 욕구와 감정은 억누른 채 타인을 더 위하는 특징을 보인다고 한다. 정반대인 사람들인데 아이러니하게도 둘 다 자존감이 낮다는 공통점이 있다. 스스로를 돌보고 사랑하지 못하기에 타인을 이용해서 허한 마음을 채우려고 하는 사람들이다. 그래서 오히려 서로 더 끌리고 잘 맞는 것처럼 느껴지다가 파국을 맞는 경우가 많다는 글까지 읽었다.

뒤통수를 세게 맞은 느낌이었다. 의식적이진 않았더라도 그는 멋대로 굴며 내 에너지를 빨아 갔다. 그런 그에게 경계심을 내리고 지낸 나의 모습이 떠올랐다. 100퍼센트 부합하는 것은 아니지만 어느 정도 들어맞았다. 우리도 이런 조합이었던 건 아닐까라는 의구심이 들었다.

전문가의 도움이 필요해

사실 난 심리학과 전혀 관련이 없는 사람이다. 대학 때 교양 수업으로 한 과목 들은 게 다였으며, 그 이후에는 별로 관심을 두지 않고 살았다. 하지만 얕은 지식으로 혼자 파악하는 데에는 한계가 있었다. 나와 상대방이 이해되지도 않아 해결책도 찾지 못했다. 그저 답답하고 고통스럽기만 했다. 무엇보다 심리학에서 다루는 부분을 나 혼자 판단하기엔 위험했다. 객관적일 수도 없기 때문에 결국 전문가를 찾아갔다.

집 근처에 있는 심리 상담소에서 심리 상담 시 흔히 하는 TCI 검사와 MMPI-2(성인용) 검사, 문장 완성 검사 그리고 세 차례의 심층 상담을 진행했다. 그 결과, 상담 선생님으로부터 내가 자존감이 낮은 편이라는 이야기를 들었다. 이를 높이기 위해서는 부단히 노력해야 한다는 결론이 도출됐다. 내가 자존감이 낮은 걸 어느 정도는 알고 있었지만, 막상 객관적으로 날 마주하니 머릿속이 복잡해졌다. 연인뿐만 아니라 가족, 친구와 지내는 데에도 영향이 있었다. 잘해주거나 맞춰주지 않으면 상대가 나를 좋아하지 않을 수도 있다는 두려움이 무의식에 깔려 있었다. 난 이걸 '배려' 혹은 '좋은 게 좋은 거지'라고 잘못 생각하고 있었다. 이따금 건강한 방식의 의견 제시를 잘하지 못했다. 평등한 관계에서도 본의 아니게 을을 자처할 때가 있던 것이다.

"나를 좋아하지 않는 사람을 누가 좋아하겠어요?"

혹자에게는 마치 칼에 찔린 듯한 말로 들리겠지만, 따지고 보면 맞는 말이다. 내가 나를 좋아하지 않으면 자신감이 부족해진다. 왠지 모르게 부정적인 기운을 풍기기도 한다. 사람은 본능적으로 긍정적인 사람에게 더 마음이 가기 마련이고, 나도 예외는 아니다.

부정적인 자신을 누군가가 좋아해 준다고 해도 자존감이 낮으면 잘못된 생각을 하게 된다고 한다. '저 사람이 이런 나를 순수하게 좋아할 리 없어. 언젠가는 내 진짜 모습을 보고 떠나버릴 거야.' 이런 무의식이 깔려 있어서 좋은 사람을 힘들게 하거나 놓치기 쉽다고 한다. 혹은 누군가가 날 함부로 대하더라도 그 사람을 멀리하거나 끊어내지 못한다. 자기도 모르게 학대당하는 환경에 계속 놓여있게 된다고까지 한다. 상대가 가끔 주는 달콤한 사탕발림에 다시 넘어가 '적어도 이 사람은 날 떠나지 않고 곁에 있어 주잖아'라는 합리화를 하면서. 가스라이팅에 노출되기 쉽다는 뜻이다.

자존감과 더불어 애착 유형에 관해서도 이야기를 들었다. 상담 선생님이 그동안의 일을 들으시고는 전 남자 친구가 되어 버린 그 사람은 '혼란형 애착 유형'이라고 하셨다. 애착 유형 중에 안정형, 불안형, 회피형이 있는 건 알고 있었는데 '혼란형'은 듣도 보도 못한 유형이었다. 알고 보니 상대방의 사랑을 갈구하면서도 막상 사랑을 받으면 벗어나려 하는 애착 유형이었다. 그제야 그 사람이 왜 그랬는지 머리로는 이해가 되기 시작했다. 한편으로는 그렇다고 '나를 좋아한다던' 그가 날 함부로 대할 권리는 없지 않나 싶었다. 속이 부글부글 끓었다.

'애착 유형'은 대개 어릴 때 부모와의 관계에서 정해진다고 한다. 부모는 아이를 적절하게 보호하고 사랑하며 응원해 줘야 한다. 방임이나 방치, 학대 등은 금물이다. 아이의 자율성과 독립적인 주체란 사실을 인정해 주는 등의 모습을 보여주면 아이는 '안정형 애착 유형'을 가질 수 있다고 한다. 간단히 말해 이들은 바람직하고 이상적인 부모 밑에서 자란 사람들이다.

한편, 부모의 반응이 일관적이지 않을 때 등의 경우 '불안형 애착 유형'을 가질 수 있다고 한다. 때로는 관심을 보여주다가 때로는 거부하거나 무시하면, 아이는 부모의 반응을 예측할 수 없어서 불안해진다. 따라서 이 유형은 타인에게 집착하거나 공격적인 반응을 보인다.

'회피형 애착 유형'은 부모와 아이 사이에 소통다운 소통이 없어 생긴다고 한다. 아이의 욕구는 거부당한 채 부모의 욕구만 강요당할 때 등의 경우이다. 언뜻 보기엔 독립적인 어른처럼 성장하지만, 사실 누군가에게 의존하기 힘들어 생긴 결과다. 이들은 문제가 생겼을 때 해결은커녕 마주하지 않고 회피한다.

그는 회피형 성향이 강한 혼란형이었다.

다른 유형의 사람이었던 우리

그동안 들은 바에 의하면, 그는 안정형이 되기 힘든 환경에서 자랐다. 그렇게 혼란형이 되었고, 나와의 연애까지 허무하고도 강렬하게 일방적으로 끝내 버렸다. 나에게 한 짓은 밉지만, 한편으로는 쉽지 않은 성장 과정을 겪은 그가 딱하기도 했다.

반면에 나는 이번 연애에서만큼은 불안형이나 회피형, 혼란형도 아닌 '안정형 애착 유형'의 소유자였다. 완벽하진 않지만 사랑 자체는 많이 받으며 성장한 나였기에 가능했다. 상대의 불안을 잠재우며 이해하고, 문제가 있으면 일단 대화로 풀어나가려고 애썼다. 가슴에 손을 얹고 연인에게 부끄러울 짓도 하지 않았다. 애초에 그럴 생각이 없기도 했고.

그러나 내 방식은 아무런 소용이 없었다. MMPI-2 검사에서 유난히 높은 '순진성'과 같은 특징으로 인해 나는 쓰디쓴 좌절을 맛봤다. '순진성' 척도가 높으면 이상주의적이고 타인을 잘 신뢰하는 등의 특성이 있다고 한다. 상담 선생님의 말씀을 빌리자면, 이는 참 바람직한 성격이긴 한데 차가운 현실 세상에서는 맞지 않는다고 한다. 너무나 안타까워하며 뒤이어 하신 말씀이 인상 깊었다.

"아마 '나는 이런 것까지 이해해 주고 받아들여 줬는데 넌 어떻게 나한테 이럴 수 있어?'라는 마음이 깔려 있어서 이번에 유난히 힘들어 하신 걸로 보여요. 그런데 이런 마음을 상대방에게 제대로 표현하지도 못하고 헤어져 버린 거죠."

아하! 깨달음을 얻었다. 오래 묵은 체증이 내려간 느낌이었다. 그러면서도 남들에게는 좋지만, 나에게는 양면의 칼 같은 성격이라는 생각이 들었다. 그저 세상을 좋게 바라보려고 했을 뿐인데 정작 내가 자칫하면 위험해질 수도 있으니까. 어쩔 수 없이 쓰디쓴 현실을 받아들여야만 했다.

또 다른 궁금증이 들었다. 내가 안정형이면 자존감이 높아야 하지 않나 싶었다. 나도 살면서 불안형과 회피형의 특징을 보일 때도 있었다. 알고 보니 자존감과 더불어 애착 유형은 영원불변한 게 아니라 바뀔 수 있는 것이었다. 상대방 혹은 자신의 노력으로 충분히 누구나 안정형이 될 수 있다. 이번에 연애를 잘해 보고 싶은 마음이 워낙 강력해서였을까? 아니면 상대가 날 진심으로 좋아해 주고만 있다는 순진한 오해에서 비롯됐을까? 나도 모르게 내가 달라지는 해프닝이 일어난 것이었다.

하지만 나는 이를 단순한 해프닝으로 만들고 싶지 않았다. 이왕 내 의지로 바뀔 수 있는 거라면, 계속 자존감 높은 안정형으로 살아가고 싶었다. 나와 내 주변 사람들의 안녕을 위해서라도 그래야만 했다. 따라서 본격적으로 자존감 상승 프로젝트를 시작하기로 결심했다. 살짝이라도 정신을 놨다간 다시 이상한 관계에 휘말릴 가능성이 높다. 무엇보다 안정형으로 변할 수 있다는 말은 안정형이 이외의 유형으로 변할 수도 있는 말이기도 하고 말이다.

근본적인 원인부터 살펴보자

우선 내가 자존감이 낮았던 태초의 원인인 부모님부터 살펴봤다. 수박 겉핥기식으로 표면적인 원인만 해결하기엔 부족해 보였기 때문이다. 인생을 살다 보면 평소에는 부모님과 잘 지내더라도 가끔 큰 문제가 일어날 때가 있다. 이런 문제가 내 삶에 미치는 영향력은 무시할수 없다. 정도가 심각하면 한두 번 일어났던 일이라도 뇌리에 강하게 박히기 때문이다.

이야기를 풀기 전에 한 가지 미리 짚고 넘어가고자 한다. 난 부모님에게 모든 탓을 돌리고 원망하려는 의도는 없다.

아빠는 평소에는 다정하고 재미있지만 쉽게 불안감을 느끼시는 분이다. 그래서 아빠의 불안함을 자극하면 작은 일에도 불같이 화를 내시곤 했다. 문제는 이 자극 요소가 뭔지 타인으로선 예측이 되지 않았다는 것이다. 분노가 과하다 못해 타인을 통제하기에 이르는 문제도 있었다.

엄마 역시 평소에는 친구 같고 대화가 잘 통하지만, 정서적 의존 상대를 다른 어른이 아닌 나로 삼으셨다. 부부끼리 서로 의지해야 맞지만, 한 번씩 몰아치는 아빠에게 의지할 마음이 생기지 않는 모양이었다.

2년 전, 일을 무리하게 하다가 기립성 저혈압으로 기절한 적이 있다. 이 일로 인해 날 걱정하는 아빠의 불안도는 극에 달했다. 내가 뭘하든 조금만 아빠의 눈에 거슬리기만 하면 아빠는 날 통제하려고 했다. 나는 성인인데도 말이다. 잘 때 내 방 창문을 여닫는 일 따위의 사소한 일에도 참견하려고 하는 등 결국 문제가 터진 적이 있었다. 이때 역시 엄마는 별다른 도움이 되지 못했다. 문제 해결은 차치하고 의지라도 할 수 있는 존재가 되어 주길 바랐다. 최종적으로 독립까지 하고자 했지만, 엄마는 내 발목을 붙잡았다. 나갈 거면 같이 나가자고 하셨다. 그 순간 외딴섬에 홀로 떨어져 버린 듯했다. 어떤 위로의 말도 듣지 못했다. 완전한 독립은 내 욕심이었다.

즉, 이러한 불안형인 아빠와 회피형인 엄마 사이에서 난 본의 아니게 홀로 애어른으로 살아왔다. 하지만 나도 기댈 상대가 필요했다. 온전히 사랑으로 날 감싸주며 안정감을 제공해 줄 사람. 내가 먼저 잘해주면 누군가는 나에게 똑같이 해주겠지 싶은 마음으로 찾아다녔다. 이번에는 적임자를 찾았다고 착각하고 확 해버렸는데 하필 온전치 못한 상대였다. 또 내게 해로운 사람이었다. 똑똑하게 판단하지 못한 채 그렇게 큰일을 겪고 말았다.

내 맘대로 자존감 상승 프로젝트 시작

자존감을 올리는 방법은 다양하다. 난 상담 선생님이 추천해 주신 방법을 시작으로 나머지 방법들을 쭉 실천해 나갔다. 제대로 하고 싶어서 이름까지 붙였다. 이름하여 '자존감 상승 프로젝트'.

상담 선생님이 누구나 마음속에 상처를 치유하지 못한 어린아이가 있다고 말씀해 주셨다. 그 아이는 바로 '내면 아이'다. 자기 전이나 혼자 조용히 있을 수 있는 시간에 가만히 그 아이를 불러 보라고 하셨다. 그 아이가 몇 살짜리인지, 어떤 상처를 받았는지는 스스로 알 수 있다고 했다. 어른인 내가 말을 들어주고 달래줘 보라고 하셨다.

당일 밤 모든 일과를 마치고 침대에 정자세로 누웠다. 불을 다 꺼서 어둑한 내 방에 창밖의 불빛만 들어와 집중하기 좋은 상태였다. 마음을 가다듬고 내면 아이를 부를 준비를 마쳤다.

'자, 한번 해볼까? 시-작!'

그 순간 눈물이 왈칵 쏟아져 나왔다. 마치 어린 시절의 나로 돌아간 듯 엉엉 울었다. 제어가 되지 않았다. 아직 나의 내면 아이에게 말도 제대로 붙이기 전이었다. 동시에 그 아이가 머릿속에 나타났다.

'어? 너는…?'

아이러니하게도 그 아이는 그다지 어리지 않은 성인의 모습을 하고 있었다. 초등학교 저학년으로 보일 때도 있었지만 잠깐뿐이었다. 이런 경우도 있나 싶었다. '내면 '아이'라고 하길래 당연히 어린 모습만 나올 줄 알았다. 의외였지만 울음이 저절로 멈출 때까지 실컷 울었다.

'미안해, 정말 미안해. 내가 너무 늦게 찾아왔지?'

첫째 날은 그렇게 울면서 미안하다는 말만 건네며 마무리를 지었다.

"얼마나 찾아와 주길 바랐으면 시작하자마자 눈물이 나왔겠어요?"

상담을 받으러 가서 선생님께 이 경험을 말씀드렸더니 다정한 목소리로 이렇게 말씀해 주셨다. 난 고개를 끄덕였다. 스스로를 제대로 챙기지 않았으니까 당연한 결과라고도 할 수 있었다.

그로부터 며칠 뒤, 주말 오후에 혼자 있을 시간이 생겼다. 이날에는 인터넷에서 내면 아이 명상 가이드 영상을 틀어 보았다. 시키는 대로 내면 아이를 찾아갔다. 자연스럽게 더욱 천천히, 그리고 깊게 서로를 마주할 수 있었다.

'안녕, 나 다시 왔어.'

이때도 많이 울긴 했지만, 더 의미 있는 시간을 보냈다. 불안할 때마다 내면 아이와 나를 달래는 방법도 정했다. 속으로 괜찮다고 말하며 내 팔을 쓰다듬어 주기로 했다. 이후 힘든 감정이 올라올 때마다 이 방법을 써 봤는데 생각보다 진정 효과가 좋았다.

그렇게 몇 번의 대화 이후 나의 내면 아이는 점차 침착해지기 시작했다. 더는 부정적인 감정의 소용돌이에 휩쓸리지 않았다. 내가 바로 설 수 없게 날 붙들고 늘어지지도 않았다. 괜찮다는 나의 위로를 들으며 안정감을 되찾아 갔다.

매일 눈앞에 보이게 만들기

나머지 프로젝트는 일상에서 실천할 수 있는 것들이다. 우선 긍정 확언이 담긴 이미지를 사진으로 출력해서 침대맡에 두고 매일 읽었다. 이를테면 이런 문장들이다.

나는 밝은 에너지를 지니고 있다.

나는 나의 모든 점을 포용하고 사랑한다.

나는 나를 믿는다.

말하는 대로 이루어질 수 있게 반복 또 반복했다. 어떻게 보면 세뇌라고도 할 수 있다. 이를 통해 내가 나를 조금이라도 괜찮은 사람이라고 생각할 수 있게 했다. 그러다 보니 생각하는 방식이 조금씩 바뀌었다.

처음 해 보는 메뉴를 요리하면 실수할 때가 있다. 설탕이나 소금을 빠뜨리거나 모양이 엉망이 되는 등 난리가 났다. 이런 경우 예전에는 '어떡해, 망했네'라는 생각밖에 들지 않았다. 하지만 요즘에는 다르게 생각하게 됐다.

'실수한 만큼 배운 게 많네. 앞으로 적어도 이런 실수는 안 할 수 있겠다.'

긍정적으로 생각하고자 애써 노력한 건 아니었다. 긍정 확언을 매일 읽으면서 내 사고방식이 자연스럽게 변했다.

부정적인 감정과 기억, 일기장에 버리기

삶이 힘들어 일기를 쓰기 시작하고 마음이 나아졌다는 사람이 많다. 나도 일기 쓰기 효과의 산증인이다. 초등학생 때 숙제라서 억지로 쓰던 일기는 내게 고역이었다. 그저 선생님이 시켜서 쓰는 일기였기 때문이다. 하지만 성인이 된 후에는 하루를 정리하며 쓰는 일기가 행복이 되었다. 자발적으로, 내 뜻대로 쓰는 것이었기에.

남에게 보여줄 글도 아니라서 적고 싶은 대로 적었다. 막연하던 감정을 글로 적고 나면 엉켜 있던 실이 풀리는 느낌이 들었다. 날 객관적으로 바라보는 시간도 가졌다. 자연스럽게 일기장을 감정 쓰레기통으로 만들어서 기분이 풀리기도 했다. 타인에게 부정적인 감정을 쏟고 나면 후련하면서도 미안한 감정이 들 때도 있다. 그런데 일기장에는 사과할 필요 없으니 마음껏 표출해도 됐다.

머릿속에 떠다니던 것들을 다 털어내고 나니 일기 쓰기가 부정적인 감정에 잠식되지 않는 연습이 되기도 했다. 부정적인 생각이나 말은 입으로 내뱉든 내뱉지 않든 자신에게 상처를 주는 것이라고 한다. 설령 상대에게 하는 말이더라도 그 말을 본인도 듣게 되기 때문이다. 일기를 쓰면 이러한 행위의 횟수를 줄일 수 있게 도움을 준다. 일기장에 버리고 나면 머릿속에서 더 이상 떠오르지 않는 것들이 많아졌다.

몰입을 통한 잡생각 없애기

잡생각이 들지 않도록 특정한 일에 몰입하는 것도 좋은 방법이다. 대표적인 예가 운동이다. 우선 엔도르핀이 나와서 기분이 좋아진다. 그리고 육체적으로 힘들어져 머릿속에 드는 생각이라고는 '쉬고 싶어'밖에 없어진다. 몸과 마음이 동시에 건강해질 수 있는 최고의 방법이다. 나는 수면의 질까지 올라갔다.

이외에도 방탈출에 재미를 붙이기 시작했다. 보통 한 테마에 60~70분 정도가 소요됐다. 그 시간 동안은 오로지 탈출만을 위한 문제 풀이에 집중했다. 끝난 뒤에는 어려웠던 문제를 복기하거나 잘 풀었던 문제를 떠올리며 뿌듯함을 느끼기도 했다. 그만큼 잡생각과 전혀 상관없는 내 성취에 집중할 수 있었다.

운동과 방탈출은 시간을 따로 내야만 하는 활동이다. 이러한 점이 아쉬워 틈틈이 할 수 있는 활동도 추가했다. 바로 스도쿠다. 앱스토어에서 마음에 드는 스도쿠 앱을 하나 깔았다. 레벨에 따라 달라지지만 보통 10분 내외의 시간을 보냈다. 머릿속에는 온통 1~9까지의 숫자만이 가득해졌다.

이런 식으로 잡생각을 전면 차단하는 방법으로 부정적인 생각을 하는 시간 자체를 줄였다. 무언가를 해냈다는 성취감도 덩달아 들었다. 남에게든 나에게든 칭찬을 해주는 횟수도 늘어났다. 칭찬은 하는 사람이든 받는 사람이든 둘 다 기분이 좋아지는 행위다. 이런 과정을 계속하다 보니 자존감이 저절로 올라갔다.

나를 더 챙기고 주체적으로 살기

"요즘엔 착하기만 하면 세상 살기 힘들어."

어른들에게 종종 들어온 말이다. 이 말에서 '착하다'는 사전의 정의처럼 언행이나 마음씨가 곱고 바르며 상냥하다는 뜻이 아니다. 바보같이 내 잇속은 못 챙기고 남을 더 챙기거나 위한다는 뜻이다. 나쁘게 말하면 '호구'라고도 할 수 있다. 정말 착해서 남을 더 챙기는 사람도 있겠지만, 나는 아니었다. 멍청하게 내 잇속을 챙기지 못한 채 살아왔다. 자존감이 낮았기에 그런 내가 이상하다는 걸 알아채지 못했다. 나를 위하지 않는 잘못된 선택을 하며 굳이 힘든 길을 걸어왔다.

내게 이별의 신호조차 줄 생각을 하지 않은 사람을 만났다. 아무것도 모른 채 친구들에게 연애 소식을 알린 날 이별 통보를 받았다. 마지막에 배려 없이 멋대로 굴었던 그와 그렇게 영원히 헤어졌다. 당시엔 힘들었지만, 정신을 차리고 나니 오히려 짧게 사귄 게 다행이라는 생각이 들었다.

이번 일을 겪은 뒤로 가사를 별로 신경 쓰지 않았던 노래들이 유난히 귀에 쏙쏙 들어왔다. 대표적으로는 BTS의 'Love Yourself' 시리즈에 들어있는 노래들이었다. 태연의 '내게 들려주고 싶은 말'도 마찬가지였다.

좀 부족해도 너무 아름다운걸. I'm the one I should love.

I love myself, I trust myself. 내겐 없었던 그 말.

윗줄의 가사는 BTS의 'Epiphany'에서 가장 인상 깊은 가사이며,

아랫줄은 태연의 '내게 들려주고 싶은 말'에서 가장 눈에 들어온 가사다. 모두 스스로를 사랑하고 소중히 여기자는 메시지를 담고 있다. 찾아보니 비슷한 주제를 담은 노래가 생각보다 많았다. 그만큼 중요하게 다뤄져야 할 요소인데 나는 대수롭지 않게 여겨 왔다.

이별 뒤의 깨달음을 계기로 달라지기로 결심했다. 실제로 노력도 했고, 변화를 몸소 느끼기도 했다. 결핍을 스스로 채우면서 내 인생의 주도권을 갖게 됐다. 나에게 해로운 사람을 알아보는 눈도 길렀다. 이게 바로 내가 생각하는 자존감이다. 다시는 황당한 일을 당하지 않도록 정신 바짝 차리고 살 것이다. 최대한 내게 좋은 사람들에게만 곁을 내어 주기로 마음먹었다. 서로 적당히 배려하며 건강한 관계를 유지할 것이다.

나를 위해, 영원히.

심해의 정원

발행 2024년 11월 1일

지은이 이아영, 송선경, 원주연, 정안(正安), 박다라, 우윤서

라이팅리더 양기연

디자인 윤소현

펴낸이 정원우

펴낸곳 글ego

출판등록 2019.06.21 (제2019-67호)

주소 서울시 강남구 강남대로 118길 24 3층

이메일 writing4ego@gmail.com

홈페이지 http://egowriting.com

인스타그램 @egowriting

ISBN 979-11-6666-575-2